무주산골영화제

Muju Film Festival

Una Labo
Actorology

백은하 배우연구소

Photography
〈낙원의 밤〉 노주한 ©NETFLIX (Cover)
〈여배우는 오늘도〉 ©메타플레이
〈영원히 : Yours〉 전윤영 ©니키리
〈메리 크리스마스 미스터 모〉 ©인디스토리
〈언니가 죽었다〉 ©필름다빈
〈여자들〉 ©인디스토리
〈죄 많은 소녀〉 ©한국영화아카데미
〈해치지 않아〉 핑크컴퍼니 ©에이스메이커무비웍스
〈멜로가 체질〉 ©jtbc
〈빈센조〉 ©tvN

전
여
빈

next actor

INTRO DUCTION

웰컴 투
넥스트 액터
유니버스!

2022년 무주산골영화제가 열 번째 축제를 맞이합니다. 영화제의 일생에서 75회에 접어든 칸국제영화제가 우아한 노년 같고, 27회 부산국제영화제가 혈기왕성한 청년이라면, 십 대로 막 진입한 무주산골영화제는 푸른 소년의 얼굴을 하고 있습니다. 여전히 성장판이 닫히지 않은 무주산골영화제와 백은하 배우연구소가 공동 기획한 '넥스트 액터' 시리즈는 그 네 번째 주인공으로 박정민, 고아성, 안재홍에 이어 배우 전여빈을 담아냅니다. 독립영화에서의 엉뚱하면서도 서늘한 등장으로 충무로를 긴장시켰던 배우 전여빈은 이후 비범하면서도 종잡을 수 없는 보폭과 행보 속에 독특한 영역을 구축 중인 '넥스트 액터'입니다.

영화와 드라마, OTT 시리즈, 숏폼까지 매체의 의미가 재정립되고 국경이 모호해지는 시대를 거치며 배우들의 쓰임새는 그 어느 때보다 넓어졌습니다. 쉽게 예측할 수 없는 시장 변화 속에 순발력과 용기, 배짱 그리고 실력으로 다져진 배우들의 가치는 그 어느 때보다 높아졌죠. 두려움 없이 모색하고, 호기심 속에 탐험하고, 성실하게 증명하고, 의연하게 자립해온 배우 전여빈은 그 변화 위에 전례 없는 새 챕터를 쓰는 중입니다. 네 번째 '넥스트 액터' 프로젝트를 함께 준비하면서 지켜본 전여빈은 주체적인 동시에 조화롭고, 사려 깊은 동시에 빠른 행동력이 빛나는 사람이었습니다. 강릉과 무주를 오가며 찍은 셀프 트레일러부터 전윤영 작가와 함께한 화보, 영화제 전시 준비 과정까지 좀처럼 부산 떨지 않으면서도 평화롭게 자신 앞의 과제를 척척 해냈죠. 추진력과 실천력을 겸비한 성격 좋고 잘생긴 마을 청년회장 같다고나 할까요. 이 배우를 왜 많은 동료들이 애타게 자신의 동네로 불러들이려고 하는지 짧은 시간 안에 체험할 수 있었습니다.

한 해 한 해 병렬식으로 잘 이어지기만 해도 좋겠다고 희망했던
이 시리즈가 점점 단단하게 결합되고 유연하게 확장되어가는
것을 확인하게 됩니다. '넥스트 액터' 시리즈의 첫 문을
열어준 박정민 배우와 두 번째 넥스트 액터 고아성 배우는
영화 〈오피스〉에서 만난 이후 재밌는 우정을 쌓아가고 있는
동료입니다. 세 번째 넥스트 액터 안재홍 배우는 박정민 배우와
〈사냥의 시간〉의 뜨거운 과정을 함께 헤쳐나갔습니다. 안재홍
배우와 〈해치지 않아〉에서 〈멜로가 체질〉로 이어졌던 전여빈
배우는 영화 〈하얼빈〉에서 박정민 배우와 처음으로 만날
예정입니다. 언젠가 '넥스트 액터 유니버스'가 더욱 넓어져
온전히 '넥스트 액터즈'만으로 이루어진 영화를 보게 될 날도
올까, 하는 기분 좋은 상상을 해봅니다.

『넥스트 액터 박정민』의 서문에서 "돌이켜보면 모든 것이
자연의 순리였던 것도 같습니다"라는 말을 썼습니다.
한 배우의 시작부터 현재까지를 되짚어가는 연구를 하다 보면
우연이라고 하기엔 절묘하게 아귀가 맞는 운명 같은 순간이
찾아옵니다. 〈낙원의 밤〉에서 입은 보라색 후드티를 보며 책
『넥스트 액터 전여빈』의 키 컬러를 마음속으로 결정했을 때,
10주년을 맞은 무주산골영화제가 발표한 새로운 페스티벌
아이덴티티는 보랏빛이었습니다. 이후 인터뷰에서 전여빈
배우는 첫 영화 오디션에 합격한 날 보라색 꽃들 앞에서 기쁨의
눈물을 흘렸다는 이야기를 들려주었습니다. 저는 이 모든 것을
우주적 조화, 라고 부르고 싶습니다. 그러니 당신이 이 책을
집어 든 것도 어쩌면 너무나 자연스러운 일인지 모르겠습니다.

'넥스트 액터'들의 조화로운 우주를 탐험하는 가운데 그들의
팬들이 분명한 사랑의 증거를 찾길 바랍니다. 막연하게
배우를 꿈꾸는 누군가가 구체적인 길을 발견하길 꿈꿔봅니다.
이미 필드에 뛰어든 배우들이 첫 마음을 복구하고, 동료로서
영감을 나누고, 때론 조용히 위로받길 희망합니다.

Welcome to N.A.U.
'넥스트 액터 유니버스'에 오신 것을 환영합니다.
부디, 즐거운 여행이 되길 바랍니다.

2022년 5월
포스트 코로나와 무주 사이
백은하

FILMO
GRAPHY

2015 – 2022

간신

제목 감독	캐릭터

2015

간신 민규동	중전관상
바라던 바다 장진	종순
최고의 감독 문소리	이서영
망 김유민	여인
웅녀 이정규	웅녀

언니가 죽었다

2016

메리 크리스마스 미스터 모

2017

여자들 이상덕	여빈
동승 한지수	여자
네이버TV 사사롭지만 좋은 날 시즌2 강지숙	김주희
OCN 구해줘 안현빈	홍소린

여자들

2018

인랑 김지운	화장품 광고모델
죄 많은 소녀 김의석	이영희
tvN 라이브 김규태	김영지

죄 많은 소녀

멜로가 체질

2019

천문: 하늘에 묻는다 ^{허진호}   사임

---

jtbc 멜로가 체질 ^{이병헌}   이은정

해치지 않아 _{손재곤}   김해경

해치지 않아

2021

tvN 빈센조 김희원	홍차영
NETFLIX 낙원의 밤 박훈정	김재연

2022

NETFLIX 글리치 노덕	홍지효
거미집 김지운	신미도
NETFLIX 너의 시간 속으로 김진원	한준희 · 권민주

빈센조

낙원의 밤

ABOUT

전여빈 101

이름 전여빈.
온전 전(全), 나 여(余),
빛날 빈(贇)

온빛은 제 이름의 뜻을 딴 팬카페예요. 누군가의 사랑과 지지가 그냥 기분으로만 느껴지는 게 아니라 실체가 될 수 있다는 걸 이 분들을 통해 알게 되었어요. 나를 보호해주는 울타리 같은 느낌, 그 응원이 얼마나 절실하고 감사한지 몰라요.

생일 1989년 양력 7월 26일

태어난 곳 강릉 동인병원

강릉 입암동에서 살다가 교동으로 이사 간 후 꽤 오래 그 동네에서 살았어요.

2남 1녀 중 둘째.

오빠와 남동생 사이에서 자랐어요. 여고에 여대를 나왔지만 어렸을 때부터 남자 형제들만 있어서인지 좀 남자아이 같은 면도 있죠.

트레이닝복을 평상시에는 정말 교복처럼 입어요. 거기에 신발은 크룩스.

아로마 오일을 좋아해요. 맨날 바르는 건 JUST의 백리향. 특히 촬영 때는 습관처럼 향을 많이 써요. 긴장이 될 때 친숙한 향을 맡으면 릴랙스가 되거든요. 늘 현장이 달라지고 촬영지가 바뀌기 마련인데 그중에 익숙하게 느껴지는 것이 하나라도 있는 것이 너무 중요한 거죠.

마음을 편하게 만들어 주거든요. 저한테는 되게 중요하고 오랜 루틴 중에 하나가 되었어요.

베개를 촬영 때 늘 가지고 다녀요. 아주 낮게 베는 편입니다.

커피는 따뜻한 아메리카노를 주로 마셔요. 그러다 가끔은 바닐라라테도 마시고요. 원래는 라테를 좋아했는데 알레르기 때문에 우유랑 밀가루를 줄이려고 하고 있어요. 절대 끊지는 못하겠지만. 최근에는 마누카 꿀을 알게 됐어요. 당이 떨어진다거나 뭔가 채워야 하는 느낌이 들면 그 꿀을 타서 마셔요.

빵순이에요. 빵이 너무 좋아요. 그래서 밀가루 끊는 게 불가능한 거죠. 패스트리 종류, 크루아상도 좋아하고요. 단맛보다는 주로 담백한 빵을 좋아하는 편이에요. 요즘 소금빵이 유행이라고 하던데.

술 마시는 연기를 많이 했지만 실제 주량은 그닥. 그래도 최근엔 하이볼의 맛을 알게 되었어요.

초밥도 좋아하고 생선회도 잘 먹어요. 단, 성게만 빼면.

소울푸드는 닭볶음탕. 어릴 때 아버지가 주말마다 닭 요리를 해주셨어요. 아빠가 백숙이나 닭볶음탕 같은 요리를 해주시는 시간이 저한테는 되게 좋은 기억으로 남아 있나 봐요. 지금도 제일 좋아하는 음식이에요. 아버지가 돌아가시기 전까지 한 달에 한 번은 온 가족이 다 같이 닭을 먹고 나서 노래방 가는 게 우리 집의 코스였어요.

왼손잡이인데 할머니가 글만큼은 꼭 오른손으로 써야 한다 그러셨어요. 어렸을 때 다녔던 속셈학원에서 오른손으로 글 쓰는 걸 교정 받았죠. 지금은 양손을 모두 써요. 너무 신기한 게 예전에는 왼손으로 사과도 잘 깎고 그림도 왼손으로 그리고 가위질도 칼질도 모두 왼손으로 했었거든요. 그런데 오른손을 쓰다 보니 애의 기능이 살아났나 봐요. 이제는 오른손을 더 많이 쓰는 것 같기도 해요. 여전히 젓가락질은 왼손이 훨씬 편하긴 한데 연기할 때는 오른쪽을 쓰려고 해요. 왼손은 너무 일상의 저처럼 보이는 것 같아서요.

MBTI는 활동을 하기 전 학교 커리큘럼에서 심리 테스트를 했을 땐 INFP가 나왔거든요. 그런데 배우를 시작한 이후엔 ENTP와 ENFP를 왔다 갔다 해요. 연기를 하면서 외향적인 표현을 할 기회가 더 늘어서 그렇게 된 걸까요?

기억 속의 첫 드라마는 〈태조왕건〉과 〈가을동화〉

기억 속의 첫 영화는 아버지께서 늘 틀어놓곤 하신 '토요명화' 속의 제목이 기억나지 않는 외국영화들. 그림체만 머리에 남아 있어요. 사춘기 넘어서는 〈장화, 홍련〉과 〈왕의 남자〉를 보면서 참 아름답고 슬프구나라고 인지했던 것 같아요.

내 기억 속의 첫 배우는 "난 나무가 될 거야"라고 외쳤던 드라마 〈가을동화〉 속의 문근영 배우. 한동안 그 대사를 거울을 보며 따라 했던 기억이 나요.

평생 한 편의 영화만 봐야 한다면 〈일 포스티노〉를 꼽고 싶습니다.

즐겨 듣는 음악은 보통 선율이 잔잔하고 악기 소리가 잘 들리는 것들을 좋아해요. 음악감독 조니 그린우드, 수프얀 스티븐스의 음악 같은.

노래방 애창곡은 익스의 '잘 부탁드립니다', 서영은의 '만년설', 최호섭의 '세월이 가면'. 그런데 노래방에 안 간 지 무척 오래되었네요.

점심형 인간인 것 같습니다. 아침 8시부터 오후 1시 사이에 활동하는 것이 가장 컨디션에 적절하다 여기고, 해가 뜨고, 떠 있는, 져가는 시간을 제일 좋아합니다.

제일 좋아하는 계절은 생기 있고 초록초록한 초여름! 무주산골영화제가 열리는 계절이기도 한데, 뭔가 설레는 온도가 느껴져요. 비교적 더위에 강하고 추위에 꽤 약해서 일터의 날씨로 치자면 봄 > 초여름 > 가을 > 초겨울 순으로.

지금 읽고 있는 책은 한이리 소설가의 『게르니카의 황소』. 〈빈센조〉의 김희원 감독님께서 며칠 전 선물로 보내주셨어요.

**현재 핸드폰
배경화면**은 새벽의 채도 높고 짙은, 푸르른 동해.

여행은 아직 많이 다녀보지 못했어요. 지금은 여행 자체가 막 거창한 게 아니구나라는 생각이 들지만 어릴 땐 경제적인 여유와 마음의 여유가 둘 다 없었어요. 학생 시절 아르바이트할 때는 여행은 여유로울 때 갈 수 있는 거라는 생각을 했었고 뭔가 사치인 것처럼 느껴지기도 했구요. 쉽사리 마음이 먹어지지 않았어요. 그 시절 스스로에게 왜 그렇게 야박했는지 몰라요. 오히려 서울이 저한테는 오래도록 되게 생소한 곳이기도 했고 늘 여행지 같기도 했어요.

오키나와에서 쨍유 뮤직비디오 'SOLJI(솔지)'를 촬영했어요. 촬영 감독이 아는 동생이라 친구들 여행처럼 재밌게 작업해보자고 제안을 줘서 네 명이서 단출하게 떠났죠. 그 분위기가 고스란히 담긴 것 같아요. 점프하는 돌고래를 보면서 행복해하는 제 표정은 연기 아니고 진짜입니다.

포틀랜드에서는 지코 뮤직비디오 '오만과 편견'을 찍었어요. 그때도 또래 친구들이랑 소규모로 찍고 왔죠. 처음 가본 곳이었는데 비가 살짝 와서 약간 습기 젖은 풀 냄새와 그때 들었던 음악들, 그 도시의 색감들이 너무 생생하게 기억나요.

아이슬란드에 언젠가 가보고 싶어요. 그곳에 가면 뭔가 새롭고 다른 감각들이 생길 것 같아서 기대하고 있습니다.

FACES

여섯 개의 얼굴

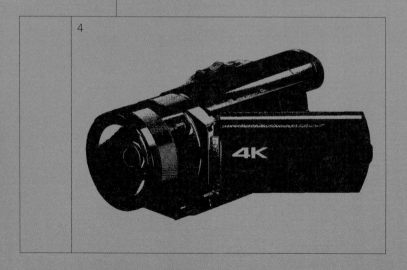

2

6

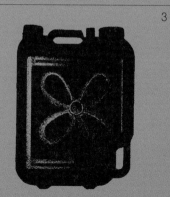

3

FACES

1

이서영
〈여배우는 오늘도〉

서영은 억울하다.

존경하는 감독님과 영화 보고 술 좀 먹은 게 뭐가 잘못이란
말인가. 스물 둘 신인배우 이서영은 만나자마자 "주인공
시켜주신다고" 장담한 이 감독과 차기작을 준비 중이었다.
아직 시나리오를 본 건 아니지만 지난 두 달 동안 살도 빼고
연기 연습도 하고 감독의 전작을 무려 일곱 번이나 다시
보며 영화 스타일까지 연구했다. 그런 감독이 하루아침에
세상을 떠났다. 기가 막히고 억장이 무너진다. "으어-
감독 니이임-" 빈소를 가득 채우는 울음소리로 첫 등장을
알리는 서영은 한동안 영정 앞에 퍼질러 앉아 서글프게
통곡한다. 유별스러운 조문 때문이었을까? 문상 온 선배
배우 문소리는 자신을 영 탐탁지 않은 눈으로 바라본다.
게다가 이 감독이 14년 전 만든 "새로운 예술 작품" 〈햇빛
좋은 날〉을 "쓰레기"라고 치부하고, 감독님과의 예술적
대화도 "주사"라고 폄해해 버린다. 설상가상 감독의 부인은
장례식장에서 나가라고 쌍욕을 하며 서영의 머리채를 잡는다.

사실 감독님과 술을 먹긴 했다. 그러다가 "꽐라"도 되었다. 잔 적은 있지만, 잠만 자고 나왔다. 사모님은 정말 오해하시는 거다.

배우 전여빈이 연기하는 서영은 어딜 봐도 '멍청하고 미숙한 젊은 여배우'라는 클리세에 부합하는 이미지로 등장한다. 장례식장에 도통 어울리지 않는 스모키 메이크업에 빨간 립스틱을 바르고 다리가 훤히 드러나는 짧은 치마를 입고, 실체 없는 예술을 운운하며 뜬구름 잡는 소리만 늘어놓는다. 하지만 그런 태도는 자신이 따르던 이를 변호하는 순간 용맹함으로 대체된다. 고인의 인간적인 면모를 물러섬 없이 강조하고, 당신들이 감독의 예술 세계를 다 이해하냐고 굽힘 없이 따져 묻는다. 순수할 정도로 과격한 확신과 믿음은 짧은 첫인상만으로 이 젊은 여성의 육체에 내렸던 섣부르고 물렁한 진단을 머쓱하게 만든다.

물론 서영이 이 감독을 자신을 주인공으로 만들어줄 만만한 동아줄로 여겼는지, 아니면 "진정한 예술가"로 존경했는지는 알 수 없다. 머리 희끗한 남자 선배를 앞에 두고 "두 분 중에 나이가 어느 분이 많으시죠?"라고 묻는 것도 선배에 대한 여우 같은 도발인지, 정말 실언인지 알 수 없다. 죽은 이 감독과 잤을 수도, 아닐 수도 있다. 만약 앞의 가정들이 진짜라면 서영은 이미 감쪽같은 연기력을 지닌 배우일 것이다. 〈햇빛 좋은 날〉은 정말 쓰레기일까, 예술일까? 이 감독의 차기작에 출연할 수 없게 된 것은 서영의 행운일까, 불행일까? 이 시대, 이 생에서는 끝내 알 수 없게 되었다. 하지만 확실한 건 어떻게 하면 연기를 잘할 수 있는지를 궁금해하는 신인배우에게 "될 때까지" 계속 연기를 해나갈 새로운 동료들이 생겼다는 것이다. 그것이야말로 속절없이 떠나간 이 감독이 남긴 최고의 유산이다. 헝클어진 머리에 검은 눈물로 범벅된 황망한 상속인은 이제 그들과 "2차"를 하러 가는 길이다.

"또 다른 누군가로, 어떤 새로운 존재로"

수많은 시작이 있었겠지만 뭐니 뭐니 해도, 그 시발점은
〈여배우는 오늘도〉 3막이 된 '최고의 감독'의 서영이를 만난
날 같다. 어느 날 일면식도 없던 소리 선배님의 단편을 보고선
무작정 SNS에 한 장면을 캡처해 글을 올렸다. '문소리
감독님, 저와 함께 작업해 주십시오'. 당시 지극히 개인적인
일기장 같았던 공간이었는데도 불구하고 글을 올리고 나선
며칠 뒤 삭제해 버렸다. 조금 창피한 기분이 들어서, 어쩐지
마음을 너무 내놓은 글 같아서…. 그런데 웬걸, 하늘이 인연을
닿게 해주셨을까? 아침잠이 많은 나는 어김없이 다소 추운
공기가 맴도는 방에 누워 그저 해가 중천에 떠오르기만을
기다리며 쿨쿨 자고 있었는데 낯선 번호로 걸려온 전화가
크게도 울렸다. "띵띠리띵띠띵띵."

　이상하다, 이 시간에 전화 올 곳이 없는데… 심지어
올 택배도 없는데 010-****-**** 당신은 누구신가? 한참을
망설이다, 잔뜩 목이 잠긴 채 통화 버튼을 눌렀다.

　"여보세요?"

　"네, 안녕하세요. 전여빈 배우 맞으실까요?"

　"네 맞습니다. 누구시죠..?"

　"네, 저 문소리입니다. 다름이 아니라…"

　"네? 네? 무슨 소리…? 네?!"

　순간 뻗어있는 내 몸에 전기가 올랐다. 벌떡 일어났다.

아니 정확히 나는 나의 매트리스에서, 폭 잠겨있던 이불에서
로켓처럼 공중으로 솟구쳤다.

"설마 제가 아는 그 문소리 선배님 맞으십니까?"
그렇게 연락이 닿아, 선배님과 미팅을 하게 됐다. 당신이
준비하는 단편 영화에 출연할 배우를 찾고 계시다고. 언제
만나는 게 좋냐고 물으시길래, 언제든 된다고 답을 드렸고,
우리는 신속히 만나게 됐다.

떨리는 첫 순간, 기억이 맞다면 대학로의 두산아트센터
근처에서 뵈었던 것 같고 선배님은 맨 얼굴에 선글라스를
끼고 계셨다. 유독 그가 갖고 있는 모든 선들이 곱게만
보였다. 선배님께선 날 보자마자, 아직 점심 안 드셨죠,
라고 물어보셨다. 긴장한 나는, 배가 부르다는 거짓말을
했지만…. 여하튼 평양냉면 집으로 향했다. 선배님께서
아주 맛있는 곳을 아신다며 데려가 주신 거다. 내 긴장의
거짓말이 무색하게 나의 미각과 위장은 참으로 정직했다.
냉면도 수육도 한 점 남기지 않고 다 비워냈기에. 아마, 그게
나의 첫 평양냉면이었던 것 같다. 담백하고 시원한 맛, 이게
평냉이구나. 좋구나.

우리는 바로 근처에 있는 카페로 향했고 그곳에서
소리 선배님께선 바로 대본을 건네주셨다. 아, 혹시 그전에
대사 연기를 한 것들을 볼 수 있냐고 물어오셨다. 말을 너무
하고 싶은데 아직 말을 하는 연기를 한 적이 없다고 답했다.
선배님은, 그럼 지금 이 대본을 읽어보자고 하셨다. 그냥,
무조건 무조건 내 목소리를, 눈빛을 나누고 싶었고 최선을
다해서 읽어나갔다. 스크립트를 다 읽고 난 후 선배님은
호탕하게 웃어주시면서, 아니 이렇게 말이 잘 들리는
배우한테 왜 말을 안 시켰을까, 라고 답을 주셨다.

그리곤 우리 같이 작업해요, 라고... 순간 얼굴은 새빨개지고, 손발이 둥둥 떴다. 어떻게 이 기쁨을 정리할 수 있을지 선뜻 답이 서질 않았다. 최대한 차분하게 하려고 했지만 이미 상태는 컨트롤 범주 밖에 있었다. 그렇게 선배님을 만나고 집으로 돌아오는 길에, 어머니께 전화를 드렸다. 엄마! 문소리 선배님이 나랑 같이 작업하자고 해주셨어. 눈물이 왈칵 쏟아졌다. 바로 옆 화단엔 보라색 꽃들이 만연하게 피어 있었다.

선배님의 눈을 보고, 느끼고, 답하고, 듣고, 반응하고, 행동하고, 작은 규모의 영화였지만 곳곳에 계신 스태프분들이 얼마나 멋지게 느껴지던지 이들과 함께 현실로 흐르는 시간 속에서 동시에 다른 시간과 공간을 만든다는 이 영화라는 일이, 이야기를 만들어 채워 나간다는 것이, 이 꿈 같은 일이 마냥 벅차기만 했다. 아무 일도 일어나지 않던 일상에 신기루 같은 며칠을 겪은 거였다. 오래오래 기억하고 싶었다. 완전한 나도 아닌, 그렇다고 해서 내가 아예 아닌 것도 아닌 또 다른 누군가로, 어떤 새로운 존재로 꼬박 살았던 그 몇 시간이 촬영을 마치고 집에 돌아온 나를 어김없이 벅차게 했다. 또 다시 그런 순간을 맞이하고 싶다는 열망을 자리 잡게 했다.

목소리를 낸다는 것이 뭘까, 나 지금 여기 살아있어요, 라고 크게 외치는 거, 그게 연기가 아닐까라는 생각이 내내 맴돌았다. 그리고 가깝게 꿈꾸고 싶었다. 나도 소리 선배님처럼 멋있는 배우가 되고 싶다...라고!

이 영화 말미에 서영이는 묻는다.

"선배님 근데 어떻게 하면 연기를 잘할 수 있어요?"

소리는 답한다.

"뭘 어떻게 하면 잘해요... 그냥 될 때까지 하는 거지...

계속….”
정답이 없는 연기, 그 여정 속에서 한발 한발 앞으로 내디딜
수 있게 용기가 되어주는, 길잡이가 되어주는 이 대사.

(영화가 완성되고 나서 알게 된 이야기지만, 선배님께서는
미팅한 배우들을 오디션 목적으로 만난 것이 아니라고
했다. 우선 그들과 함께할 생각을 거의 마친 상태에서
제안을 한 거였다. 그 이유는 당신께서도 배우인지라, 다른
배우에게 오디션에서 떨어졌다는 박탈의 기분을 안기고 싶지
않아서였다고 하시더라. 나는 내가 그 카페에서 정말 열심히
해서 오디션에 붙여주신 줄 알았는데…. 뭐, 그래도 좋았다.
역시 우리 선배님, 진짜 멋진 사람이지 않은가.)

"여빈이에 대한 정이 아주 깊어서 어쩌면 객관적으로
보지 못할지도 몰라요. 하지만 내가 아는 여빈이는
남들 앞에서 예쁘게 보이고 싶어서 자신도 모르게
덧붙이는 장식과 가식이 전혀 없는 사람이에요.
게다가 본능적인 감각, 풍부한 감성, 영리한 이성이
같이 잘 어우러진 배우이기도 하고요.

경험 위에 고른 밸런스가 유지되고 작품을 대하는
태도와 사람을 대하는 마음이 달라지지 않는다면,
배우 전여빈은 분명 더 크게 성장해 나갈 거라고
믿어 의심치 않아요."

actor on actor

FACES

자영
⟨메리 크리스마스 미스터 모⟩

자영은 궁금하다.

수영장의 저 아저씨는 누구일까? 왜 수영을 하다 물속에서
혼자 숨 참기를 할까? "아저씨, 안녕하세요?"라는 살가운
인사에는 반응도 없다가 왜 갑자기 정수리를 내리쳐서 물을
뿜어내는 장난을 치는 것일까? 엉뚱하고 이상하지만 자영은
그냥 모금산(기주봉)이 재밌다. 볼 때마다 웃음이 난다. 물
뱉기 장난을 따라 하는 자영과 쑥스럽게 하이파이브를 나눈
'미스터 모'는 불쑥 묻는다. "맥주 한잔 합시다."

　　'치킨 캐슬 금산 1호점'에서 나란히 벽을 보고 앉아
맥주를 마시며 자영은 자신에 대해서 조잘조잘 떠든다.
키운 지 5년 정도 된 다육식물에 대해서, 그들의 특별한
'잎꽂이'에 대해서도 설명한다. "얘는 생명력이 강해서 잎
하나를 톡 떼어 내다가 흙 위에 얹어 놓으면 얘네들이 알아서
번식을 해요. 그걸 잎꽂이라고 한대요. 신기하죠." 하지만
무성영화 속 배우들처럼 남자의 목소리는 좀처럼 들리지

않는다. 뭐 하는 사람인지, 늘 말수가 없는 건지, 아내분은
수영장을 안 다니는지, 왜 벽을 보고 술을 먹는지, 돌아오는
정보는 별로 없다. 마을 이발사인 모금산은 젊은 시절 배우를
꿈꾸었고, 죽은 아내는 찰리 채플린을 좋아했으며, 아들은
영화감독이다. 가끔 다방에서 쌍화차를 마시고 치킨 집에서
맥주를 마신다. 그러나 자영은 금산의 구체적인 삶도 일상도
끝내 듣지 못한다. 그에게 내려진 갑작스러운 암 선고 역시
알 도리가 없다. 하지만 한 번만 만나봐도 그 사람을 딱
알아보는 촉이 있다고 믿는 자영에게 금산은 그런 걸 몰라도
"잘 통할 줄 알았"던 사람이다. 게다가 자영은 이미 중요한
사실을 알고 있다. 아저씨도 "외로운 사람"이라는 것을.

　"어제 (둘이) 한잔 했다면서?" 오지랖 넓은 동네
호사가의 눈에 두 사람은 수영장에서 만나 술 마시며
"각별한" 사이가 된 젊은 "은행원 아가씨"와 늙은 "이발소"
남자다. 가족도 친구도 이웃도 연인도 아닌 관계, 서로의
외로움을 알아본 사이를 부르는 적절한 말은 그 동네에 없다.
그날 이후 모금산은 더 이상 수영장에 나오지 않는다. 자영은
홀로 물 뱉기 놀이를 따라 하며 미소도 짓고, 같이 갔던
치킨집 문을 열며 짜증도 내보지만, 그 남자는 더 이상 거기에
없다.

　크리스마스 즈음, 초대장이 도착한다. 모금산이
시나리오를 쓰고 출연까지 한 영화 〈사제 폭탄을 삼킨
남자〉의 상영회다. 평생 '불발'의 기록만 남긴 한 남자의
생에 찾아온 마지막 불꽃놀이를 자영은 누구보다 신나게
웃고 즐기며 바라본다. 잠시 스치는 인연 속에 외로움의 잎
하나를 서로 톡 떼어 내 나누었던 자리에, 반짝이는 새 잎이
자라났다.

"따뜻한 말들이 씨앗을 내리고 싹을 틔운다"

오디션을 보기 이전에, 대본을 통째로 다 읽을 수 있게 메일을
보내주셨다. 〈메리 크리스마스 미스터 모〉에 나오는 인물들은
각각 매력적인데 당시 열려 있던 인물은 '예원'과 '자영'
역이었다. 엄연히 주연은 예원이었고, 조연은 자영이었는데…
글을 끝까지 읽고 있자니, 자영이가 자꾸 떠올랐다. 특히
모금산의 영화를 상영하는 날, 그의 영화를 보고 장난스럽게
웃고 있을 자영이가 그려졌다. 어딘가 외로워 보이는 사람,
적은 표현을 할 것 같지만 최소한의 표현으로도 귀여움과
보슬보슬한 따듯함이 느껴질 것 같은 사람. 이해하기 어려워
보이는 금산과 어딘가 통하는, 우정을 나눌 수 있는 사람.
그래서, 대뜸 오디션을 보는 날, 감독님께 말했다. 감독님,
저는 자영이가 좋아요. 자영이가 너무 매력 있는 사람 같아요.
그 말에 임대형 감독님은 눈을 크게 뜨고 웃으며 맞장구쳐
주셨다. 당신도 그렇게 생각한다고.
　　　그렇게 캐스팅이 되고. 아무래도 나는 금산과 마주치는
장면 위주로 등장하기에, 대학로에서 기주봉 선배님과
감독님, 이렇게 셋이서 대본 리딩을 했다. 감독님께서는 내내
특별한 디렉션을 주지 않고 들으시더니 이대로 좋습니다,
정말 좋습니다 하시고는 또 크게 웃어주셨다. 우리는
대학로를 걸었다. 갑자기 기주봉 선생님께서는 "여빈아. 뜻이
있는 곳에, 길이 있어"라고 말을 건네셨다. 그날 내가 무슨

얘길 드렸는지 기억이 나지 않는데, 선배님께서 이 문장을 말씀하신 것은 확연히 기억난다. 무슨 연유였을까?

어느 날 대형 감독님께서는 그런 말씀을 툭 건네셨다. "언젠가 제가 여빈 씨에게 크게 부탁할 일이 생길 수도 있을 것 같아요"라고 하셨던가...? 아무튼 좋은 배우가 될 수 있을 거라는, 염원을 담은 비유 같은 문장이었던 것 같기도 하다. 장담해 주시는 농담에 기분이 좋았다.

　　좋은 분들의 따뜻한 말들이 내 속에서 씨앗을 내리고 싹을 틔운다.

　　참
　　고맙습니다.

FACES

3

이영희
〈죄 많은 소녀〉

영희는 분하다.

스무 살이 되기 전에 그 다리에서 떨어져 죽겠다는 건, 전부터 생각한 자신의 "아이디어"였다. 어젯밤 다리 위에 가방과 구두를 남기고 실종된 경민(전소니)이 내 계획을 "뺏어간" 거다. "내가 먼저 죽을걸... 원래 제가 먼저 죽으려고 생각하고 있었어요." 사실 경민이는 "어차피 죽을 애"였다. 엄마 몰래 모아 온 수면제를 먹고 집에서 자살하겠다는 계획을 세웠다고 분명 나에게 말했다. 단지 죽음의 시간이, 수면제로는 "확률이 엄청 낮다"는 자신의 통계적 충고 때문에, 조금 당겨진 것뿐이다.

하지만 cctv는 소리가 없다. 검은 실루엣만 남아 그날 밤 두 소녀의 입맞춤을 증명해 줄 뿐이다. 경민이와 마지막까지 함께 있었던 영희가 혼자서 굴다리 밖으로 나오기까지, 그 30분 동안 무슨 일이 있었는지는 이제 영희 외에는 누구도 알 수 없다. 담임 선생님은 "아무도 니 탓이라고 생각 안 한다"라고 달래지만, 영희는 알고 있다. 경민의 엄마, 담임, 형사들 그리고 같은 반 애들까지, 죽음의 책임자를 가리키는

손가락들이 모두 자신에게로 향하고 있다는 걸. 교실에서는
영희가 "안 좋은 생각들을 전염시킨다"는 소문이 돌고,
집까지 찾아온 아이들은 집단 폭행을 가한다. 멍든 눈으로
찾아간 형사 아저씨에게 "확실하게 진술을 수정"하고 싶다고
부탁하지만 의사는 묵살된다. 죽음의 방식을 선점당한 '죄
많은 소녀'는 더 끔찍한 방식을 택한다. 장례식장을 찾은
영희는 '경민이는 나 때문에 죽지 않았다'고, '당신들의
생각은 틀렸다'고, 나는 '결백하다'고 쓴 유서를 교복 재킷
안에 품고 락스 통을 들이켠다. 화장실 바닥에 쓰러진 채 피를
토하고 뒤틀린 몸을 부르르 떨며, 영희는 보게 된다.
그 밤 입을 맞추고 나를 바라보던 경민의 아프고 슬픈 눈빛을.
죽음의 문턱에 다다랐을 때, 영희는 알게 된다. 그동안 자신을
괴롭혔던 감정의 실체는 억울함과 분함이 아니라 오직 "나만
말릴 수 있었"던 경민의 죽음을 막지 못했다는 검고 진득한
후회가 뒤덮고 있음을.

     경민과 달리 영희의 죽음은 한 번에 완성되지 못한다.
녹아 내린 발성기관엔 휑한 구멍이 뚫린다. '나는 여러분들이
기다리던 나의 죽음을 완성하러 왔습니다. 여러분 앞에서
가장 멋지게 죽고 싶습니다.' 목 가운데 생긴 어두운 굴다리
속엔 cctv가 없고, 수화를 알 리 없는 이들에게 영희의 유언은
또다시 전달되지 못한다. 선생님은 말했다. 다시 잘 살아가기
위해선 "얼른 잊어버려야" 된다고. 하지만 영희는 누구에게도
망각의 기회를 허락하고 싶지 않다. 다시 굴다리로 걸어가는
영희의 모습은 너의 죽음을 이렇게 잊지 않겠다는 증명, 나의
죽음을 오래도록 기억하라는 경고다.

2016년. 선선한 저녁이었다.
친구와 나란히 효자동을 걷고 있었다. 전화가 왔다.
오디션과 미팅을 진행했던 〈죄 많은 소녀〉에 캐스팅이 됐다고,
만나게 될 역할은 영희라고.

더 이상 걸을 수가 없어 발걸음을 멈췄다.
그리고 오래 가만히 서 있었다. 가슴이 쿵 떨어지는 것 같았다.
감추는 것 없이 내어 놓았던 오디션이었기에 이 연락은,
나라는 사람을 나라는 배우를 받아들인다는 그 승낙은,
존재 자체를 수긍받는 기분을 들게 했다.
　　　물론 오디션에 떨어진다고 해서 내가 없는 사람이 되는
것도 아니고, 역할마다 각자의 때가 있어서 그래서 더더욱
인연이라고도 늘 생각하지만… 그냥 유독, 유독, 유독 이
작품은 그런 기분이 들었다. 또 내 인생에서 혹은 정말
처음이자 마지막이 될 수도 있을 것 같은, 그토록 그토록
원했던 사람을 만나게 된 기분…. 많이 떨리고 신났다가, 다시
비장해졌다. 배우로서 무언가를 해낸 적도 없지만, 좋은 배우로
남겨지고 싶었다. 이게 그 처음이자 마지막이라도. 이 한
번을 만나게 된다면, 더 이상의 욕심은 부리지 않기로 마음을
먹었다. 인생에서 이런 기회가 한 번이라도 와준 것에 대해서
감사하게 여기자고 마음먹었다. 나약하고 미련하게 찢길
준비가 충분해야만 했다. 너덜거리더라도 완주하고 싶었다.

이 영화는 모든 것이 담겨 있었다.

　　처음으로 그런 것을 느껴봤다. 이야기를 쓰는
사람의 마음에 대해서, 잊지 못할 기억들을 고스란히
안은 채 살아가는, 누군가와 누군가가 만나 조심스레
문을 열어가는.... 아마 나는 배우로서뿐만 아니라, 그냥
사람으로서도 김의석 감독님을 만나기 전과 후가 아주
다른 사람일 거라고 감히 짐작해본다. 그는 이 말이
부담스럽겠지만, 내게 아직도 큰 영향을 미치는 존재다.
김의석 감독님께서 이 이야기는 소중한 사람을 잃고 쓰게
된 글이라고 하셨다. 2년 정도 걸쳐 시나리오를 쓰셨다고....
우리는 3개월의 촬영을 마쳤다. 그리고 감독님은 8개월
정도 후반 작업을 했다. 오디션 과정에서도, 프리 프로덕션
기간 때에도, 촬영 중에도, 후반 작업 때에도, 또 상영을
하기 전에도 우리는 많은 이야기를 나눴다. 그 눈빛과 음성이
생생해, 몇 해 전 일인데도 며칠 전 일처럼 떠오른다.

　　촬영 동안 감독님은 테크닉적인 연기는 걱정하지 않아도
된다고 하셨다. 가장 중요하게 생각하셨던 것은 다만 감정, 그
감정만큼은 진짜이기를 바란다고 하셨다. 내 연기가 흉내일
때, 그 누구보다도 빨리 아셨다. 들키는 것은 괴로웠지만
한편으로는 이 이야기의 진심에 대해서 누구보다 자세히
이야기를 나눈 사람인 내가... 스스로를 보호하려고 이
정도만 표현한다는 것이 치사하게 느껴졌을 때도 있었다.
하지만 그때마다 감독님은 절실하게 붙잡아 주셨고, 나는
도망치고 싶지 않았다. 절규처럼 느껴지는 부탁을 진실로
마주하고 싶었다.

　　정말, 정말 담고 싶었다. 연기라는 것은 거짓말이지만,
진짜를 쏟아보자고.

김의석 감독님과 이 영화의 동료들은 아직도 내 인생의
스승이다. 기억을 들여다본다.
그때 모였던 뜨거운 마음은, 또 어디서도 만날 수 없을 것 같다.
감독님, 마주해 주셔서 감사합니다.
아마도 영원히 잊지 못할 겁니다. 너무 많은 것을 배웠습니다.

〈죄 많은 소녀〉의 배우님들, 스태프님들 다시 감사합니다.
언제나, 기억합니다.

연기를 할 수 있게
고동을 칠 수 있게
심장이 되어준
아직도 이렇게 잡아주시는
기억이 되어주심에...

제가 당신께 갚지 못할 빚을 지었습니다.

FACES

이은정

〈멜로가 체질〉

은정은 믿고 싶다.

사랑의 총량은 제한을 두지 않았지만, 삶의 총량은 너무 빨리 써 버린 그가 여전히 내 옆에 살아 있다고. 타인에겐 보이지 않지만 홍대(한준우)와 매일의 일상을 공유하고, 고민을 털어놓고, 사랑의 언어를 나누는 중인 은정의 생생한 믿음은 죽은 연인을 분명한 표정과 목소리를 가진 실체로 불러온 지 오래다. 다큐멘터리 감독인 은정은 친일파들의 해방 이후 삶을 다루는 작품을 준비하며 처음 홍대를 만났다. 비록 친일파 집안에서 태어났지만 부모의 도움을 거부한 채 자수성가한 홍대는 은정의 취재와 투자를 적극적으로 돕게 되고 그 가운데 친밀한 감정이 싹트게 된다. 겨우 1억 원의 제작비로 제작된 다큐〈내겐 너무 친절한 일본〉은 300만 관객이라는 대박을 터트린다. 물론 벼락부자가 된 은정에게 "돈보다 설레는" 건 홍대와의 사랑이다. 하지만 그들에겐

너무 불친절한 운명은 죽음으로 두 사람을 갈라놓는다.

홍대를 따라 삶의 종착역으로 직행하려던 은정의 극단적인 선택은 동생의 발견으로 가까스로 중지되었다. 결국 표면적으로는 "억만장자" 은정의 큰 집에 얹혀사는 명목으로, 실상은 위태로운 친구를 가까이서 살피고 싶은 걱정 속에 '여자 셋 남자 둘'의 동거가 시작된다. 남동생 효봉(윤지온)과, 서른 살 동갑내기 친구 진주(천우희)와 한주(한지은) 그리고 한주의 어린 아들 인국(설우형)까지 합세한 시끌벅적한 아파트에서 은정은 조금씩 회복되어가는 것처럼 보인다. 하지만 "기분이 없는 기분"으로 살아가던 은정이 친구들에게 "나 힘들어... 나 안아줘"라는 말을 하기까지는 2년이라는 시간이 필요했다. 그 무렵 은정은 준비 중인 다큐 영상에 찍힌 배우 소민(이주빈)의 지나치게 솔직한 모습에서 위태로움을 감지한다. "자연스러운 게 부자연스러운 모순"은 어쩌면 소민뿐 아니라 은정의 현재이기도 하다. 죽은 애인을 남몰래 곁에 두고 좀처럼 감정을 드러내지 않고 살아가던 은정이 시원하게 분노를 표출하게 된 상대는 광고 감독 상수(손석구)다. 일에 걸리적거린다는 이유로 "남의 귀한 자식"을 개로 만드는 상수에게 은정은 당신이 욕지거리를 내뱉는 대상이 개가 아니라 "귀한 사람"이라며 참 교육을 시전한다. 하지만 최악의 첫 만남 이후 상수와 계속 마주치며 티격태격 미운 정을 쌓아가던 은정은 상수가 자신이 그랬던 것처럼 타인을 위해 전 재산을 바친 "기부천사 김 회장"이었음을 알게 된다. 그렇게 모순이 체질인 은정은 비판하려던 친일파의 후손과 사랑에 빠지고, 앙숙이었던 친구를 촬영하며 자신을 발견하고, 쌍욕과 삿대질을 나눈 남자에게서 위로를 얻는다.

마침내 은정은 기억의 트랙 위를 끝없이 순환하던 2호선 '홍대' 역에서 하차해, '상수' 역을 향한 조금 늦은 모험을 시작하려고 한다. 하지만 걱정은 없다. "모험하는 사람은 섹시"하니까, "섹시라면 좀 욕심"이 나는 은정이니까. 무엇보다 100미터를 15초에 뛸 수 있는, 아직은 건강하게 살아 숨 쉬는 사람이니까.

"알록달록한 삶을 가진 존재들 사이에서
같이 살고 싶었다"

이병헌 감독님께서, 〈여배우는 오늘도〉와 〈죄 많은 소녀〉를
정말 잘 보았다고 해주셨다. 그래서 오디션을 보지도 않고,
은정이를 선뜻 보내주셨다. 은정이는 심지어 감독님의
친누나 이름과 동일하다고 하셨다. 대본을 읽는데, 정말 많은
인물들이 있었다. 다 같이 와글와글 수다를 떠는데 이곳에서
함께 웃고 울고 떠들고 싶었다. 이 속의 사람들과 친구가 되고
싶었다. 서로의 존재를 나누고 싶다는 생각이 들었다. 사별한
남자 친구를 잊지 못해서, 늘 곁에서 환영을 보는 은정이가
어떻게 앞으로 나아갈지는 모르겠다는 생각이 들었지만...
그냥 이렇게 알록달록한 삶을 가진 존재들 사이에서, 같이
살고 싶었다. 그것만으로 이미 충분했다.

  그리고 얼마 후 이병헌 감독님의 영화 〈극한 직업〉이
개봉했다. 예매를 해둔 당일, 영화를 보기 직전에 너무 화가
나고 속상한 일이 생겨 버려서 취소할까 했지만 친구와 함께
보기로 한 거라 잔뜩 굳은 마음으로 영화를 봤다. 처음에는
내 기분에 빠진 채 멀뚱히 영화를 관망했다. 그런데 정말 웃고
싶지 않았는데, 자꾸 웃음이 났다. 나중엔 웃지 않으려는데
자꾸 터져 버리는 나 자신이 민망하게 웃겼다. 왜? 영화랑
절대 웃지 않기 싸움, 뭐 그런 걸 하고 있나? 하면서... 거의
중반부부터는 내 개인적인 문제는 살포시 던져 버리고 영화에

빠져서 울며불며 박장대소를 터트리고 나왔다. 그렇게 두 시간을 크게 웃고 나오니, 내가 직면했던 그 개인적인 문제는 아무것도 아닐 것 같았다. 그냥 다 할 수 있을 것만 같았다. 그래서 이 영화에게 고마웠다. 내 심각함을 무장해제시켜 줬으니까. 내 근심을 다른 에너지로 바꿔줬으니까.

영화관을 나오고 나선, 더 더 더 마음이 뜨거워졌다. 얼른 〈멜로가 체질〉 촬영 현장으로 가고 싶어졌다. 망설일 이유가 아무것도, 아무것도 없었다.

"전여빈의 고요한 눈매 속에 숨겨진 번뜩이는 욕망과
동요를 사랑하고 응원하고 있어요. 여빈이는
앞으로 더 많은 것들을 보여줄 배우라고 생각해요.
우리는 이 무궁무진한 배우를 오래 오래 지켜보기만
하면 되는 거죠."

actor on actor

FACES

5

홍차영

〈빈센조〉

차영은 뻔뻔하다.

　　대한민국 최고 로펌 '법무법인 우상'의 변호사인 차영은 욕망의 대식가다. 혼자서 "갈비 4인분"을 해치울 만큼 튼튼한 구강과 위장을 가진 차영은 원하는 것을 쟁취하고 상대를 이기기 위해서는 "무조건 뻔뻔해야" 된다고 "예의 따윈 필요 없다"고 믿는다. 아군도 적군도, 위도 아래도, 가족도 예외는 없다. 약자를 변호하던 아버지 홍유찬(유재명)을 이기기 위해서 결정적인 증인을 돈으로 매수한다. 가짜 눈물까지 짜내는 딸에게 아버지는 "변호사 때려치우고 배우 해보는 게 어떻겠니?"라고 권할 정도다. 술자리에서 장기자랑을 강요하는 회사 상사 최명희(김여진)를 엿 먹이기 위해서는 광기 가득한 표정에 "허이! 허이! 허이! 직인다!" 같은 추임새까지 더해 명희의 취미인 줌바댄스를 우스꽝스럽게 따라 한다. "조롱, 하면 저죠, 난 전 인류를 열 받게 할 수 있어요." 하지만 아버지의 갑작스러운 죽음 이후 차영은 돌연 상대팀으로 이적을 선언한다. "우상의 에이스 홍변"에서

아버지가 평생 지켜온 '법무법인 지푸라기'의 대표 변호사로 말이다. 물론 소속팀이 바뀌었다고 해서 선수의 기질까지 바뀌지는 않는다. 불리한 재판을 지연시키기 위해서 꾀병에 실신도 모자라 장수말벌까지 동원해 재판장을 아수라장으로 만든다. 열심히는 작동하지만 늘 20퍼센트 정도 부족한 "로봇청소기 스타일"을 싫어하는 차영은 직접 손에 더러운 걸레를 쥐는 것을 두려워하지 않는 행동파 인간이다.

특히 이탈리아에서 온 콘실리에리, '빈센조 까사노(송중기)'와 한 팀이 된 이후엔 "진짜 악당의 방식"과 마피아의 스케일까지 닮아간다. "경찰관님들- 이분 마~피아예요, 신기하죠? 나도 너무 신기해"라며 자랑하듯 떠벌리는 차영은 아이언맨을 만난 스파이더맨처럼 잔뜩 신이 나있다. 그와 함께하면 "기계적 정의"의 구현이 아니라 진짜 이기는 싸움을 할 수 있을 것만 같다. 이런 홍차영의 만만치 않은 능력과 탐욕 속에 "사람을 해치는 건 없다"는 걸 알아보는 사람은 빈센조다. "변호사가 아니라 갱스터가 체질"인 차영은 상대의 약점을 파악하는 빠른 판단력과 전략, 협박과 위협도 서슴지 않는 '앗쌀'한 행동력을 장착한 채 "적들이 가장 자신 있는 것"부터 무자비하게 꺾으며 "승리의 쾌감"을 배워나간다. "나대지 마라"는 협박은 통하지 않는다. 싸움은 오히려 즐기는 쪽이다. 세팅된 헤어부터 명품백, 하이힐까지 늘 세련되게 차려입은 차영의 스타일은 전투복이고 가끔 등장하는 람보르기니는 장갑차처럼 보일 정도다. 그렇게 홍차영은 빈센조와 함께 욕망의 탑을 끝 간 데 없이 쌓아 올리는 기업 '바벨'을 "뚜껑 열린 물티슈처럼" 서서히 말라 죽게 만들다 마침내 무너뜨리겠다는 목표를 세운다.

"왜들 그리 다운돼 있어? 뭐가 문제야. 세이 썸씽!"

높디높은 텐션, 굴곡 넘치고 드라마틱한 성조, "쎄영~" 혹은 "~요옹"으로 끝맺음하는 묘하게 얄미운 말투, "허!"하며 손을 하늘로 쭉 뻗는 기합, 어깨를 으쓱대는 리드미컬한 보폭으로 걸어가는 홍차영은 자신감과 수완, 패기와 박력이 여성 캐릭터의 매력으로 충분히 작동할 수 있음을 보여준 드문 예다. 생전의 아버지는 어쩌면 이 뻔뻔하고 똑똑한 딸이야말로 "독하게 세상과 맞설 수 있는 새로운 세상의 변호사"가 될 것이라고 믿었다. 착한 여자는 천국에 가지만, 뻔뻔한 여자는 지옥을 깨 부순다.

"새로운 항해, 여행을 하게 된 거다"

2020년을 맞이하고, 여행을 가고 싶었다. 그래, 바로 지금 이 타이밍이 여행을 할 시간이다! 재정비를 해야 한다. 마음을 먹고 비우는 시간을 가져보자, 의지를 가지고 잠깐 멈춰보자, 부화하려는 알 속의 새처럼 단단히 추스르고 여며보자, 흘러간 날들을 복기하고 다시 중심을 잡아보자고.... 애초의 계획은 6개월 정도를 잡아뒀는데, 4개월 정도는 서울에서 자잘한 일들을 마무리 지을 것이 있어, 선뜻 시작하지 못했다. 그래 아직 두 달이 남아있으니 괜찮아. 아니, 그래. 충분하지, 라고 마음을 먹는 순간, 회사에서 연락이 왔다. 좋은 기회가 와주었는데 작가, 감독과 미팅을 해보는 것이 어떻겠냐고. 그분들의 성함은 박재범 작가님, 김희원 감독님이셨다. 그간 작가님과 감독님의 작품들을 쭉 봐온 상황이라 많이 궁금해졌다. 희원 감독님의 힘 있는 연출력, 재범 작가님의 능수능란한 글과 색깔 있는 캐릭터들, 그들이 만나면 무슨 일이 벌어질까? 이 두 분은 내게서 어떤 사람을 구현해 내고 싶으신 걸까? 순간 갈등이 오갔다. 아니야, 지금이 아니면 여행을 또 못 갈지 몰라... 아니야, 지금이 아니면 두 분을 언제 만나겠어? 그래, 여행은 또 갈 기회가 있을 거야. 우선 두 분을 뵙자! 이미 기울어진 마음은 다시 레이스를 달리겠다는 의지로 바뀌어 있었다.

　희원 감독님을 만나는 날, 40분 남짓 미리 도착해

있었는데 웬걸, 감독님께서도 이미 자리에 앉아 계셨다. 크게 응시하는 눈, 호탕하게 웃어주시는 소리, 정확한 목소리를 듣고 있자니 그냥 감독님과 얘기하는 것만으로 즐겁고 행복했다. 그렇게 세 시간 정도를 떠들었을까? 대화에 너무 집중한 탓인지 배가 많이 고파졌다. 도중에 쿠키와 케이크를 주문했고 정말 와구와구 먹었다. 감독님은 훗날 이야기하시길, 여빈 씨가 너무 잘 드시더라고요, 하시는 것이…. 아, 여태껏 기록을 돌이켜보니, 먹는 것만큼은 참 잘 먹는 사람이구나, 싶다. 여하튼, 즐겁게 이야기를 마치고 헤어지려는 순간 감독님께 용기 내어 진심으로 말씀드렸다. 감독님, 이번에 기회가 닿지 않아도 좋습니다. 그런데, 언젠가는 감독님을 꼭 만나고 싶어요, 라고.

한 3주 뒤, 감독님으로부터 다시 만나고 싶다는 연락이 왔다. 우리는 식사를 함께 했고, 감독님께서는 문득 "여빈 씨, 차영이는요-" 라면서 그 친구에 대해서 이야길 하시는 거다. "감독님, 설마 제게 캐스팅을 제안하시는 건가요?" 그리고는 재범 작가님을 만났다. 대화의 내용은 희미한데, 이야길 나누다 너무 많이 웃어 광대가 한동안 당겼던 통각은 확실히 기억난다. 하하하.

이렇게 나는 여태껏 만나본 적 없던 홍차영이를 만나게 됐다.
여행을 하게 된 거다.
'팀센조(팀+빈센조)'를 만나 새로운 항해를 펼쳤다.
전과는 분명히 다른 세계를 겪은 나는, 분명 멋진 여행을 8개월 정도 다녀온 거다.

"〈죄 많은 소녀〉의 영희를 보고 굉장히 맑은 눈빛을
가진 소녀가 나타났다고 생각했어요. 그리고
〈빈센조〉에서 여빈이를 만나고 확신했죠. 홍차영의
피도 눈물도 없는 독기가 전여빈의 맑은 눈을 만나서
섹시해지겠구나. 결국... 굉장히 섹시했죠."

actor on actor

FACES

6

김재연
〈낙원의 밤〉

재연은 상관없다.

오늘 죽나, 내일 죽나, 어차피 죽을 몸, 아껴서 뭐하겠나. 누가
벗은 몸을 보는 것도, 때리면 맞는 것도, 죽인다는 위협도
다 상관없다. 생존 확률 10%도 안 되는 시한부 선고를 받고
하루하루를 모르핀 주사로 버텨 내고 있는 재연에게 삶이란
이미 가라앉기 시작한 배다. 다시 떠오를 가망도, 의지도
없다. 완전한 침몰을 향해 천천히 침잠하던 재연 앞에 어느
날 장대비를 뚫고 태구(엄태구)가 당도한다. 폭력조직의
하수인으로 살아가던 태구는 상대편 보스를 제거한 후
제주도로 피신한 상황이다. 물론 재연은 그런 사연 따위
상관없다. 삼촌이 "돈 몇 푼에" 받아들였지만 깡패들과 더
이상 엮이기 싫고, 가능한 한 빨리 떠나주기를 바랄 뿐이다.
하지만 조직으로부터 "사형 선고"를 받은 태구가 한 달
후면 "죽을병"에 걸린 자신과 그리 멀지 않게 느껴진 걸까?
체류기간이 예상보다 길어지는 가운데 재연에게 태구는
"아직 육지 사람들은 모르는" 물회 맛집을 알려주고 싶은,

함께 소주잔을 나누고 싶은, 딱히 "취향"은 아니지만 같이 잘 수도 있는 사람이 되어간다.

재연은 아침마다 바다가 보이는 마당에서 사격 연습을 한다. 빈 병들을 하나도 빠짐없이 명중시키는 놀라운 실력에도 불구하고 사실 재연의 총구가 향하는 정확한 목표물은 없다. 재연이 날려버리고 싶은 것은 어쩌면 허무로 가득 찬 자기의 머리통이었는지도 모른다. 러시아 마피아에 의해 가족이 몰살된 이후 재연의 삶은 병과 상관없이 멈춰버린 지 이미 오래다. 그리고 모든 죽음의 원인을 제공했던 삼촌을 저주하고 또 원망했다. "개 쓰레기 같은 깡패 새끼 죽어 버려라... 그랬더니 진짜 죽어 버렸네...." 무기 밀매조직에 의해 삼촌이 죽임을 당한 후 재연은 "이제 진짜... 이 세상에 아무도 없다"는 걸 깨닫게 된다. 미어지게 아픈 가슴은 삼촌에 대한 재연의 마음이 결코 미움이 아니었다는 증거다. 그리고 곧이어 가뭄에 단비처럼 찾아왔던 태구마저 죽어 버린다. 혼자 있기 싫어하는 재연에게 "금방 갈게"라고 달려와 주었던 마지막 친구는 이제 활활 타오르는 농장 바닥에 주검으로 누워 있다.

재연의 총구는 더 이상 빈 병을 향하지 않는다. 삼촌과 태구를 죽인 패거리가 있는 횟집으로 들어선 재연은 무자비한 총질로 그 놈들의 머리통을 하나하나 날려버린다. 얼굴에 튄 피도 닦지 않은 채 무심하게 권총을 바꾸고 탄창을 갈아가며 식당 안의 조직원들을 전멸시킨다. "말로..." 해결하자는 배신자의 부탁 따원 들을 필요도 없다. 총알이 모두 떨어지는 순간까지 총질을 멈추지 않는다. 넋이 나간 채 방아쇠를 당기는 재연의 복수에는 희열도 쾌감도 없다. 그저 이 모든 것을 빨리 끝내 버리고 싶은 마음뿐이다. 아름다운 바다가

펼쳐진 낙원에는 이제 아무도 남아 있지 않다. 상관있던
존재가 모두 사라진 세상에서 재연이 할 수 있는 건,
이 낙원에서 탈출할 마지막 방아쇠를 당기는 일뿐이다.

전여빈이 쓰는 〈낙원의 밤〉

"궁금증, 내가 인물에게 다가서는 방법"

대본을 다 읽고 나선, 마지막 장면에서 음악을 들으며 텅 빈
바닷가에 서 있을 재연이의 표정이 궁금했다. 무슨 음악을
듣고 있을지도 헤아려보고 싶었다. 내가 인물에게 다가서는
방법은 완전한 공감에서 발현하는 감정이 아니라, 어떤
궁금증으로부터 시작되는 것 같다. 가장 평범한 얼굴을
하고서는 알 수 없는 표정을 지어낼 친구 같았다. 극 중에서
가장 많이 만나게 되는 배역의 이름은 태구였다. 박훈정
감독님께선, 정말 엄태구 배우가 맡게 될 거라 하셨다. 태구
선배라 하면... 〈밀정〉 때 며칠을 뵈었던, 선하고 차분한
인상과는 달리 무지막지한 하시모토를 연기했던 그 선배!?
조용한 성실과 열정을, 연기로 다 쏟아 밀어붙이는 것 같았던
바로 그 사람이라는 거다. 태구가, 상상이 갔다. 서로의
목소리가 부딪히는 느낌들도 그려졌다.

그렇게 우리는 두 달 내내 제주도에서 지내며 〈낙원의
밤〉을 촬영해 나갔다. 제주도의 날씨가 변덕스럽다고들
하던데, 이상하게 우리가 촬영하는 날마다 날씨가 정말
좋았다. 우리는 흐린 날씨를 기다리는 팀이었던지라...
시간이 필요한 날도 많았다. 하지만 내게 그건 그리 중요한
일은 아니었다. 어쨌든, 제주도에 온 이유는 〈낙원의 밤〉의
재연이를 만나러 온 거였으니까.

훈정 감독님과, 태구 오빠, 그리고 나는 거의 매일 같이

밥을 먹고, 후식을 먹고, 또 함께 자주 걸었다. 성격과 마음을 표현하는 방법이 너무도 다른 세 명이었지만 우리는 그날들을 공유하며 누구보다 의지하고 믿어줬다. 격한 신(scene)이 많은 '태구'인지라, 엄태구 오빠가 역할에 몰입하기 위해 갖은 애와 기를 쓰는 모습을 바로 곁에서 보니 좋은 자극이 됐다.

역할을 만난다는 것, 그리고 그 배역으로 살아가는 시간들 즉 촬영의 양이 많아질수록, 의심보다는 믿음을 더 주게 된다. 어차피 나는 이 인물을 너무 많이 생각하고 있고, 너무 많이 사랑하고 있으니 그 모든 것이 배서 자연스레 발화될 거라는 믿음. 하지만 극단적으로 자신의 모든 것을 쏟고 또 부어 버리는 동료 옆에 있다보면 다소 캐주얼해 보이는 스스로가 부끄러울 때도 있었다. 잘하는 연기라는 건 뭘까. 인물을 안다는 게, 이해한다는 게, 잘 표현한다는 게 어떤 걸까. 여전히 물음표 투성이다.

결국 재연이는 마지막 바닷가에서는 아무 음악도 듣지 않았다. 그냥 이어폰을 귀에 꽂은 채 파도가 부서지는 소리, 바람이 펄럭이는 소리를 고스란히 들었을 거다. 박훈정 감독님께서는, 촬영이 다 끝나고 이어폰을 선물로 주셨다.

오다 주웠다 툭... 느낌으로?

그 이어폰으로 역시 많은 노래를 들었다.

아직도 다 이해하지 못한 재연이를, 태구를 종종 생각해본다.

BEATS

비트(BEATS) 사용 설명서

연기 목적을 달성하는 행동의 조각.
러시아 연출가이자 연기 교육자였던 콘스탄틴 스타니슬랍스키가
정의한 연기 행동(action)의 최소 단위, 'кусок(한 조각)'은
이후 스타니슬랍스키의 초기 시스템과 방법론을 적용한
미국 현대 영화인들에 의해 'Beat' 혹은 'Bit'로 번역해 사용되었다.

배우가 구현한 연기의 성취에 접근하기 위해 액톨로지
(Actorology, 배우학)는 연출, 카메라 혹은 편집의 단위인
신(scene)과 숏(shot) 대신 '비트'를 그 단위로 삼는다. 하나의
신과 숏 속에 여러 개의 비트가 존재하기도 하고, 하나의 비트가
여러 신과 숏에 걸쳐 구현되기도 한다. 연기 비트의 분석은, 영화
비평이 그러하듯 연출자의 목적이나 배우의 해석과 다를 수 있다.

BEATS

딱 한 방울의 눈물

〈죄 많은 소녀〉
TC 00:30:10~00:34:55

〈죄 많은 소녀〉에서 영희(전여빈)의 취조 장면은 크게 두 장으로
나뉜다. 경민(전소니)의 실종과 죽음을 둘러싼 정황을 파헤치기
위해 김 형사(유재명)는 사건 당일 끝까지 경민과 함께 있었던
친구 영희를 빈 교실로 부른다. 경민의 어머니(서영화)와 형사들에
둘러싸인 영희는 그날의 경위와 동선, 두 사람의 관계에 대해
건조하고 조심스럽게 풀어 놓는다. 영희의 증언은 뒤늦게 호출된
또 다른 친구 한솔(고원희)이 사실 영희가 경민의 죽음을
부추겼다고 폭로하는 것으로 새로운 국면을 맞이한다.
그 말에 흥분한 경민의 어머니가 영희에게 달려들면서 교실은
이내 아수라장이 된다. 모두 자리를 비운 교실에 이제 김 형사와
영희만 남아 있다.

1

김 형사	영희야, 다시 정리해보자. 팔 내리고! 아저씨 봐! 영희 너는 작년까지 경민이랑 좀 친했지만 그 이후로는 별로 교류가 없었다. 그지?
영희	네.
김 형사	그러다 어제는 학교 끝나고 우연히 만났고.
영희	네.
김 형사	네가 먼저 말 걸었고.
영희	맞아요.
김 형사	그런데 경민이는 그날따라 좀 이상해 보였어. 그치?
영희	예.
김 형사	그런데 니가 경민이한테 자살을 생각할 만한 얘기를 꺼냈네?

책상에 두 팔을 올린 채 멍하니 앉아 있는 영희의 맞은편으로
김 형사가 착석한다. 팔을 내리고 자신을 보라는 말에도 영희는
고개를 숙인 채 자세만 고쳐 앉는다. 지난 취조에서 영희가 한
말을 순서대로 정리하면서 반복하는 김 형사. 영희는 시선을
아래로 유지한 채 무기력한 대답을 이어간다. 그러다 김 형사는
한솔의 증언을 다시 상기시키며 영희를 도발한다.

2

영희	대화 중에 그냥 흘러가다가 그런 얘기가 나온 거예요.
김 형사	어쨌든, 어쨌든….
영희	하아….
김 형사	하? 얘기해 봐.
영희	그런 심각한 분위기가 아니었다고요.
김 형사	네 위주로만 생각하지 말고, 그 말이 어떻게 전해졌을지도 한번 따져보자는 거야.
영희	아.. 씨 진짜….
김 형사	진짜 이 새끼가 어른한테 버르장머리... 마!

기계적인 대답을 멈춘 영희는 떨리는 음성으로 자신의 말에 고의가 없음을 주장한다. 영희가 심리적으로 흔들리고 있음을 감지한 김 형사는 더 집요하게 파고든다. 영희는 잠시 침묵하며 마치 기억을 더듬듯 우측으로 고개를 돌린다. 영희의 얼굴이 미세하게 떨리기 시작한다. 계속 비난조로 조여 오는 김 형사의 추궁에 울컥 화가 올라온다. 김형사는 그런 영희에게 호통을 친다.

3

영희   지금 제가 경민이 죽인 것처럼 그러시잖아요.

김 형사 누가 그런 소리 했어?
        여기서 아무도 그런 소리 한 사람 없어!
        내가 그런 말 했어? 아저씨가 그런 말 했어?
        내가? 어? 하....

잠시 호흡을 가다듬은 영희는 처음으로 고개를 들어 김형사를
두 눈으로 똑바로 응시한다. 그리고 이 심문이 자신의 자백을
유도하기 위한 의도가 있음을 지적한다. 당황한 김 형사는
중언부언 말을 얼버무린다.

4

김 형사	너 지금 돌이켜보니까 경민이한테 뭐 미안하거나 걸리는 거 있어? 아저씨 봐. 경민이도 뭔가 이유가 있지 않을까? 아저씨는 그렇게 생각하는데? 그 전날까지도 그 시간이면 학원에 있던 애가 술 마시고, 클럽에 가고, 응.
영희	그 이유를 왜 저한테 찾으세요.. 억지로 끌고 간 거 아니라고요.
김 형사	그럼 버스 타고 오는 길에 한솔이는 두고 왜 둘이만 내렸어? 어떻게 보면, 어떻게 보면 니가 한솔이는 배제하고 둘이만 좀 있고 싶었던 거잖아.
영희	한솔이는 삐져 있었어요. 우리는 장난친 거고요.
김 형사	그게 아니지.
영희	아니라고요?
김 형사	당연히 그게 아니지... 니들 뽀뽀했잖아.

김 형사가 기세를 돌리려는 듯 오히려 영희의 의도를 역으로 의심하자 다시 고개를 숙이는 영희. 사건 당일 경민의 이례적인 동선에 대한 질문과 영희의 진심에 대한 선을 넘는 추측이 이어진다. 억울함을 호소하는 영희는 답답하고 괴로운 듯 눈을 감은 채 윗니로 아랫입술을 깨물고 침을 삼킨다. 흐른 눈물이 떨어지지 않고 코 끝에 방울이 되어 맺힌다. 김 형사가 결정적인 이야기를 꺼내자 영희가 바로 고개를 들어 바라본다.

5

김 형사   cctv에 다 나왔어. 경민이가 너한테 마음이 갔고
         너도 경민이 쪽으로 마음이 간 거잖아….
         아저씨도 니들 나이 때 감수성이 풍부해서 그거
         다 알아. 나는 너희들 사이에 뭐 그런 관계 뭐
         그런 거 관심 없는 사람이야. 그냥. 어제.
         그 설명할 수 없는 어떤 감정에 대해서 좀 까놓고
         얘기를 좀 해보자는 거야, 응?

경민이와의 남다른 관계에 대해 확신하는 듯 추측을 이어나가는
김 형사를 영희가 똑바로 응시하고 있다. 마침내 코 끝에 맺혀
있던 눈물이 한 방울씩 떨어진다.

6

영희   ... 죽는 거 무섭지 않아, 언젠가 이런 것들이
               다 끝난다는 게 다행이지 않아?... 경민이가 그랬어요.
               그래서 저는 제 자살 계획을 말해줬어요.
               나도 스무 살이 되기 전에 저기 다리 위에서
               뛰어내릴 거야. 나도 죽고 싶다.

시선의 방향은 여전히 앞을 보고 있지만 눈의 초점은 서서히
아득해진다. 돌연 영희는 경민의 마지막 말을 빙의된 듯
늘어놓는다. 그리고 오른쪽 어딘가로 시선을 옮겨 그날 밤 자신의
대답 역시 재연한다.

7

영희   그게 위로가 될 줄 알았어요.

김 형사   ... 수고했어, 이제 일어나 봐.

감정을 힘겹게 누르며 마지막 진술을 끝낸 영희가 침을 삼킨다.
이제 가봐도 좋다는 김 형사의 허락과 함께 참았던 눈물을
쏟는다. 책상에 올린 왼팔에 얼굴을 묻고 흐느끼다가 단호하게
의자를 박차고 일어선다.

〈죄 많은 소녀〉에서 전여빈이 연기하는 영희는 펑펑 울고도 남을 일들을 연이어 겪지만 좀처럼 눈물을 흘리지 않는 인물이다. 계속되는 심문 속에도 건조하고 지친 표정으로 대답을 이어가고 고개를 숙인 채 최소한의 방어에만 에너지를 쓸 뿐이다. 김 형사는 수 싸움을 고려한 단계적인 심문을 계획한다. 첫 번째 취조에서 한솔을 뒤늦게 등장시킨 것처럼, 두 번째 취조에서도 미리 수집한 패를 먼저 영희에게 까지 않는다. 김 형사는 이미 영희와 경민이 단순한 친구가 아니라 "설명할 수 없는" 애정관계로 엮여 있다는 것을 알고 있다. 하지만 이런 전략을 알 길 없는 영희는 무방비 상태로 공개되는 정보에 하나하나 노출될 뿐이다. 심문의 헤게모니는 당연히 김 형사가 이끌어간다. 하지만 둘이 입맞춤을 나누던 그 밤에 대한 김 형사의 본격적인 추궁이 시작되자 태도가 달라진다. 영희의 영혼은 사실의 탐색전이 한창인 교실에서 벗어나 경민과 마주 선 어젯밤의 터널로 순간 이동한다.

결과적으로 이 신은 김 형사가 영희를 지능적으로 압박해 원하는 진술을 끄집어 낸 성공적인 취조처럼 보일 수도 있다. 하지만 전여빈은 섬세하게 조율된 영희의 눈물을 통해 모두가 죄 많다고 손가락질하는 이 소녀가 결코 타인에 의해 쉽게 파악되거나 지배 받을 수 없는 인물임을 보여준다. 취조 과정에서의 억울함과 답답함, 원망으로 생성된 영희의 눈물은 코 끝에 맺힐 뿐 좀처럼 떨어지지 않는다. 죄책감과 책임을 타인에게 전가하기 바쁜 인간들이 원하는 반성의 눈물은 단 한 방울도 허락하지 않겠다는 듯 보인다. 하지만 그 대상이 경민을 향하는 순간 눈물의 점도와 속도는 달라진다. 허공 속 어딘가를 부유하던 영희의 동공은 마치 경민을 만난 듯하다. 고인 눈물이 뺨을 타고 흐르기 시작하고, 마침내 자신의 입술에

도달해 맺히는 딱 그 순간, 전여빈은 큐 사인이라도 받은 것처럼 대화의 재연을 시작한다. 무책임한 간접화법 사이에서 망자의 전언을 직접화법으로 선택한 시나리오의 의도를, 전여빈은 비트와 비트 사이 달라지는 눈물의 방향과 양, 타이밍을 통해 면밀하게 살려낸다. 마음과 신체를 연결하는 복잡한 회로를 들키지 않는 정교한 기술을 장착한, 혹은 애초에 도식 따윈 필요 없는 유기적인 통일체로 작동하는 듯한 이 배우의 연기는 관객의 심장에 직렬로 꽂힌다. 경민의 마지막 목소리를 덤덤하고 일상적인 말투로 재연하는 전여빈의 비트는, 이후 장례식장에서 씻김굿을 하던 무당이 경민에 빙의한 목소리로 "엄마, 미안해"라며 오열하는 장면과 나란히 놓고 본다면 상당히 흥미롭다. 과연 경민이는 엄마에게 미안해했을까? 폭포수 같은 오열보다 한 방울의 눈물 속에 그 밤의 진실은 더 높은 함량으로 포함되어 있다.

BEATS

한 편의 뮤지컬 같지 않았나요?

tvN 〈빈센조〉
Episode 06.
TC 00:21:27~00:22:41

홍차영(전여빈)과 빈센조(송중기) 그리고 금가 프라자 상인들이
연합한 경이로운 소동 때문에 법정은 아사리판이 된다. 천장
누수에 낙상, 급기야 장수말벌에 쏘여 눈과 입술이 퉁퉁 부은
판사가 결국 정신을 잃으면서 재판은 일주일 연기로 마무리된다.
최명희(김여진)가 이끄는 법무법인 우상 팀을 완벽하게 엿 먹인
'팀 빈센조'는 의기양양하게 재판장을 빠져나간다.

1

명희   쪽 팔린 줄 알아라. 고작 일주일 벌자고 신성한 법정을
               이래 모독을 해.

차영   무슨 모독이요?

명희   니도 명색이 법조인인데, 이 방법이 너무 치사하고
               유치하고 저급하잖아!

법원 정문을 나와 성큼성큼 앞을 보고 걷던 차영. 기둥 아래서
기다리던 명희의 비난에 차영은 가던 길을 멈춰 서서 도대체
무슨 말을 하는지 모르겠다는 의아한 표정으로 반문하며
쳐다본다.

2

차영   무슨 말씀이세요.
               정말 한 편의 뮤지컬 같지 않았나요?
               기승전, 결 구조도 딱 들어맞고,
               클라이막스도, 직이구요!

자랑과 조롱을 섞어가며 자신들이 연출한 법정 쇼의 완벽한
구성을 다시 한번 상기시킨다.

명희	허!

차영	그리고 뭐요, 신성한 법정 모독이요?
	바벨그룹 커버 치려고 나온 판사나,
	그 판사랑 짝짝쿵한 우상이나, 장난친 우리나,
	다 후졌긴 마찬가진데?

기막혀 하는 명희. 하지만 차영은 반박할 수 없는 단호한
목소리로 판사, 우상 그리고 팀 빈센조까지, 누구 하나 치우침
없이 막상막하의 저열함으로 싸우는 중이라는 사실 관계를
요약정리한다.

명희	언제부터 우리 홍변이 이리 정의의 사도가 되셨지?

차영	헉, 아니 무슨 그런 오글거리는 말을 하세요?

논리의 말문이 막히자 비꼬는 태도로 대응하는 명희. 그런 말을
질색하며 거부하는 차영.

5

차영	난 정의 따위에 관심 없어요.
명희	아 그럼 왜 그리 빡빡 악을 쓰고 덤비는 건데?
차영	꼴, 뵈-기 싫어서요. 우상이랑 바벨 꼴 뵈기 싫어서!
명희	뭐라고?
차영	꼴 뵈기 싫은 사람 귓방맹이 한번 확! 날리고 싶은 건, 인간의 본능 아닌가요?

명희에게 시선을 고정한 차영은 눈을 단 한 번도 깜빡이지 않은 채 실룩거리는 눈썹과 입매, 변화구와 직구를 오가는 리듬과 템포로 그간 자신의 행보를 가장 알아듣기 편하게 직설적으로 설명한다.

6

차영	일주일 후에 봬요.

쏘아보는 눈빛은 거두지 않은 채, 코웃음과 함께 새끼손가락을 치켜들며 다음 만남을 약속하는 차영. 두 팔을 좌우로 흔드는 경쾌한 발걸음으로 콧노래를 흥얼거리며 사라진다.

〈빈센조〉의 홍차영은 변호사라는 직업에 걸맞게 독특한 화법과 화술로 승부하는 캐릭터다. 내부적으로 감추거나 쌓아두는 대신 외부적으로 뽐내고 발산하는 홍차영의 에너지와 삶의 방식은 연기의 방법에도 고스란히 적용된다. 다만 이 캐릭터의 강렬한 자극과 감흥은 총 20부작이라는 긴 러닝타임과 높은 노출 빈도 속에 무뎌지거나 감소할 수 있는 위험을 내포하고 있다. 하지만 배우 전여빈은 홍차영의 에너지를 일부러 낮추지 않은 채 오로지 리듬과 템포 만으로 이른바 '쎈캐'가 주는 한계효용 체감의 함정을 돌파한다. '비트 2'에서처럼 자기 억양 속에 슬쩍 "직이구요"라는 명회의 사투리를 집어넣음으로써 조롱의 리듬을 변주하고, 몰아치는 속도로 '비트 3'에서는 공격의 강도를 높이기도 한다. '비트 5'의 "꼴, 뵈-기" 나 "확!"처럼 특정 음절의 강조나 포즈, 음운 사이를 늘리는 방식으로 경멸과 분노의 정도를 또렷하게 전달하기도 한다. 종이 위에 누워 있던 대사와 지문은 정밀하고 유연한 배우의 음성과 육체를 거치면서 비로소 공간 속을 달리고 멈추고 비상하는 입체의 인물로 세워진다. 전여빈은 대사의 고저와 장단, 강약을 자유롭게 가지고 노는 가운데 움직임의 리듬과 템포를 유려하게 뒤섞으며 자신의 무대를 경이롭게 장악해 나간다. 기승전결, 클라이맥스도 '직이는', 한 편의 뮤지컬 같은 비트다.

ACTOROLOGY

JEONYEOBEENOLOGY

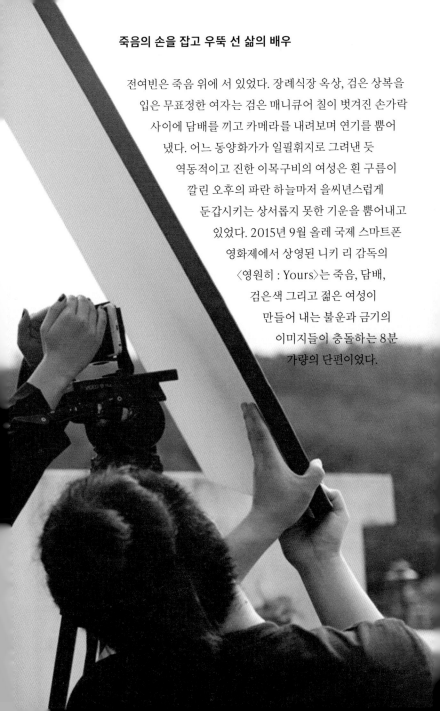

죽음의 손을 잡고 우뚝 선 삶의 배우

전여빈은 죽음 위에 서 있었다. 장례식장 옥상, 검은 상복을 입은 무표정한 여자는 검은 매니큐어 칠이 벗겨진 손가락 사이에 담배를 끼고 카메라를 내려보며 연기를 뿜어 냈다. 어느 동양화가가 일필휘지로 그려낸 듯 역동적이고 진한 이목구비의 여성은 흰 구름이 깔린 오후의 파란 하늘마저 을씨년스럽게 둔갑시키는 상서롭지 못한 기운을 뿜어내고 있었다. 2015년 9월 올레 국제 스마트폰 영화제에서 상영된 니키 리 감독의 〈영원히 : Yours〉는 죽음, 담배, 검은색 그리고 젊은 여성이 만들어 내는 불운과 금기의 이미지들이 충돌하는 8분 가량의 단편이었다.

아버지의 유골을 기어코 집에 들고 온 여자는 욕조에 온몸을 담근 채 물 위로 얼굴만 내밀고 다시 담배를 피운다. 심연 아래 죽음의 장력을 뿌리치고 희뿌연 삶의 장막을 뚫고 나와 다시 숨을 내뿜는 여자. 그것이 내가 본 전여빈의 첫 얼굴이었다.

이 얼굴과 다시 마주치기까지는 채 한 달이 걸리지 않았다. 그 해 10월 부산국제영화제에서 상영된 문소리 감독의 단편 〈최고의 감독〉에서 전여빈은 찢어지는 통곡소리와 함께 등장했다. 이번에도 장례식장이었다. 제멋대로 번진 새빨간 립스틱과 검은 마스카라, 널 뛰는 감정을 주체하지 못하는 영화 속 신인 여배우는 침울한 상가에 괴이한 생기를 부여한다. 그리고 눈치 없이 맹목적인 그녀의 믿음은 생전에 이미 직업적 사형선고를 받았던 한 영화감독을 비로소 생생한 예술가로 부활시킨다. 2016년 6월 미쟝센 단편영화제에서 상영된 김유민 감독의 단편 〈망〉에서 전여빈은 죽은 남편을 끌고 하염없이 걸어가는 조선시대 여인이 되었다. 멍석에 말린 시체의 다리를 두 팔로 힘겹게 운반하는 아내는 숲을 지나 다리를 건너 돌밭을 걷는 긴 여정을 통해 남편의 부활을 기도한다. 같은 해 부산국제영화제에서 첫 선을 보인 임대형 감독의 〈메리 크리스마스 미스터 모〉에서는 시한부 선고를 받은 동네 아저씨의 마지막 친구가 되고, 이어지는 단편 〈언니가 죽었다〉에서는 갑자기 세상을 떠난 언니의 주변을 정리하며 그녀의 진짜 모습을 만나게 되는 동생이 된다. 2017년 부산국제영화제 '올해의 배우상'을 안겨준 〈죄 많은 소녀〉의 영희는 그야말로 죽음에 사로잡힌 인물이었다. 홀로 자살 계획을 세워 왔던 여고생은 내 죽음의 아이디어를 선점해 버린 친구의 망령을 검은 물처럼 뒤집어쓴 채 어두운

망

터널을 향해 걸어 들어간다. OCN 〈구해줘〉에서는 사이비
종교집단을 취재하는 기자가 되어 비밀스러운 죽음의 행렬
속으로 뛰어든다. 2019년 jtbc 〈멜로가 체질〉에서는 병으로
떠난 남자 친구의 환영을 실체로 믿으며 살아가는 연인으로,
2021년 tvN 〈빈센조〉에서는 죽은 아버지의 잔업과
복수를 대행하고 확장하는 딸로, 같은 해 넷플릭스 〈낙원의
밤〉에서는 유일한 혈육과 친구마저 떠난 세상을 자신만의
방식으로 마감하는 시한부 인생을 연기했다. 2022년 봄
촬영을 시작한 드라마 〈너의 시간 속으로〉에서는 1년 전
사고로 사별한 연인과 시공간을 뛰어넘어 새로운 이름으로
마주하는 인물이 되어가는 중이다. '넥스트 액터' 프로젝트를
준비하며 전여빈이 보내온 플레이리스트의 첫 번째 트랙에는
수프얀 스티븐스가 어머니의 임종을 맞으며 만들었다는 노래
'Death with Dignity'가 올라가 있었다.

영원히 : Yours

마녀가 될 순 없어

데뷔 이후 현재까지 배우 전여빈의 선택 속에는, 우연이라고 하기엔 너무나 자주 그리고 가까이, 죽음이 도사리고 있었다. 남다른 캐릭터 취향이나 장르적 편향만으로 설명하기엔 모자란 구석이 있다. 배우 전여빈이 선택한 인물들의 흥미로운 지점은 죽음을 대하는 태도다. 거대한 상실과 고통을 거치면서도 좀처럼 자기 연민에 빠져 허우적대지 않는 그들은 눈앞에 닥친 죽음의 실체를 자세히 응시한다. 오래도록 옆에 두고 애도의 시간을 연장한다. 영정 앞에 놓인 향꽂이처럼 고인을 마주보며 죽음의 이유를 집요하게 묻고, 그 질문이 남긴 재를 고스란히 받아 안는다. 이 과정은 죽음과 연관된 여성을 바라보는 사회적 시선에 대한 전여빈 식의 정면승부처럼 느껴질 정도다. 예로부터 동서양을 막론하고 공동체에 닥친 흉사의 원인을 모두 여성에게 돌리려는 '저주받은 여성 서사'는 유구히 흘러왔다. 서방 잡아먹은 박복한 년, 아비 잡아먹은 재수 없는 년들의 타고난 운명은 조리돌림의 이유가 되었다. 〈죄 많은 소녀〉의 영희 역시 친구의 죽음 이후 "안 좋은 생각들을 전염"시키는 아이라는 소문을 듣고, 극단적인 자해를 한 이후에도 "귀신 들린 것처럼, 사람들 저주하고 그런 느낌"이었다는 평가를 받는다. 사회와 가족의 안전망 속에서 끝내 보호받지 못한 여자들은 쉽게 마녀사냥의 대상이 되었고 그 끝은 타인의 죄책감까지 모두 짊어진 채 화형대에 오르는 게 수순이었다. 실체 없는 불운의 유령은 되도록이면 숨겨야 하는 주홍글씨였다. 하지만 배우 전여빈은 매 작품마다 죽음과의 동행을 기꺼이 감행한다. 망자의 친구, 연인, 가족, 이웃이 되어 그들의

부재와 회피 없이 마주한다. 대신 〈빈센조〉의 홍차영처럼
죽은 이의 운명을 자신의 탓으로 돌리지 않는다. "쌰발라"한
세상을 견디는 방법으로 스스로 악마가 된 최명희(김여진)가
타오르는 불 속에서 줌바댄스를 추며 제거된 것과 달리
홍차영은 결코 전통적 마녀 리스트에 자신의 이름을 더할
마음이 없다. 저주의 입에 먹히지 않고, 삶의 트랙에서
이탈하지 않고, 죽은 이의 몫까지 치열하게 싸우며 끝까지
생존한다. 죽음을 망각하는 대신 끝까지 품고 살아가는
사람의 삶에는 얼마나 더 단단한 품위와 생생한 에너지가
필요한지를 가장 씩씩한 방식으로 보여주고야 만다.

당돌한 여자, 다부진 사람

"신입사원 최! 희! 경!입니다" 우렁찬 목소리로 인사하는 젊은 여성. 데뷔 초 SK 텔레콤 광고에서 만난 전여빈은 짧은 머리를 매만지며 설렘과 떨림 속에 첫 출근길에 오른다. 익숙지 않은 사무실에서 "평소에 너답지 않게 실수"도 하고 뭘 할지 몰라 당황하며 두리번거리는 모습 위로 딸의 시작을 응원하는 목소리가 흐른다. 손 잡아준 사람들을 기억하라는, "혼자 걷기보다 모두와 함께 걸을 때 더 큰 세상을 볼 수 있을 거"라는 따뜻한 아버지의 전언은 어쩐지 하늘에서 들리는 것만 같다. 어느덧 긴장을 떨치고 환한 미소와 함께 "내일 뵙겠습니다!"라고 인사를 건네는 전여빈의 얼굴에는 생의 의지와 활기가 가득하다.

물론 시작하는 그녀들에게 삶은 한 번도 호락호락했던 적이 없다. "이 처자, 국모의 상을 가지고 계십니다!" 영화 〈간신〉의 저잣거리 여인네는 어머니와 함께 걸어가던 중 채홍사로부터 간택을 당한다. 하지만 "중전마마!" 운운하는 설레발에 잠시 품은 기대와 달리 처녀성을 감별하는 비과학적 테스트를 거친 후 허무한 불합격 통보를 받아 들고 돌아서야 했다. 꽃가마를 타고 가는 궁전행 익스프레스의 행운은 좀처럼 이 배우 앞에 멈춰 서지 않았다. 단편 〈웅녀〉의 탈북여성은 죽음을 각오하고 힘겹게 휴전선을 건너왔다. 하지만 남한의 정부기관은 가짜 사랑을 내세워 진짜 사랑을 능욕하고 한 번도 속인 적 없는 자신의 정체를 의심하고 시험한다. 임신 가능성만 남기고 연락 불통된 〈예술의 목적〉의 전 남자 친구는 마약에 절어 다른 여자의 이름을 부르고, 〈해치지 않아〉의 애인은 자신을 값싼 노동력과 목돈을 제공하는 호구로 여긴다. 대신 싸워주는 사람도, 대신 맞아주는 사람도 없다. 그녀들의 손에 떨어지는 삶의 결실은 모두 자신의 두 발과 두 손으로 이룩한 것이다.

그녀들은 닥치지 않고, 참지 않는다. 〈멜로가 체질〉의 은정은 "주둥이로 똥 싸는 것밖에 제대로 할 줄 아는 게 없는" 방송 프로덕션 상사가 마침내 성희롱까지 시도하려 하자 차를 그대로 박아버린 후 쓰레기장에서 집은 쇠 파이프를 들고 돌진한다. 많은 사람들 앞에서 일방적으로 자신의 동료를 위협하는 광고 감독 상수(손석구)에게는 말로 사람을 때린다면 이럴까 싶을 정도의 쌍욕을 찰지게 쏟아붓는다. 노희경 작가의 드라마 〈라이브〉에 취업 준비생 김영재로 특별

출연한 전여빈은 "남녀 역차별" 운운하는 남자 동기에게
"야! 우리나라 여성 고용 비율은 OECD 7위! 그것도 밑에서!
남녀 공급 차이도 1.7: 1! 넌 신문 안 봐? 이 새대가리야?"라며
꽉 깨문 아랫니와 아래턱으로 한 마디 한 마디 질근질근
씹어가며 귀한 정보와 욕을 좋은 비율로 섞어 교육시킨다.
그런 그녀들을 누군가는 "도라이"라 부르고, 어떤 이는
"당돌한 년"이라고 칭한다. '당돌하다'의 사전의 의미처럼
전여빈의 캐릭터들은 꼼수를 부리거나 요행을 바라지 않고
'꺼리거나 어려워하는 마음이 조금도 없이 올차고 다부진'
사람들이다.

그대 눈동자에 건배!

〈우리 손자 베스트〉의 '티파니'는 이국적으로 화려한 이름과
다르게 편의점과 전화영어 아르바이트를 동시에 하는 치열한
삶을 살고 있다. 대신 그 노동이 허락한 "삼겹살 2인분"의
혼밥 파티는 삶의 가장 두근거리는 즐거움이다. 〈빈센조〉의
홍차영은 아버지에 대한 사랑을 "갈비 4인분"과 "남도
실비집 두부김치와 모둠전"으로 치환시켜 말한다. 삶에 대한
미련도, 죽음에 대한 두려움도 없다는 〈낙원의 밤〉의 재연은
"죽으면 이 집 물회 못 먹는 게 제일 아쉬워"라며 혼자서도
젓가락질을 멈추지 않는다. 이들은 모두 옆머리를 귀 뒤로
착- 넘긴 후 경건하고 열정적으로 삶의 양식을 맞이한다.
"할 말이 꼭 있어야 술을 마셔요? 단합하는 거죠. 좋잖아?"
장례식장, 동네 치킨집, 편의점 앞 파라솔, 남의 집 옥상,
제주도 바닷가에서 함께 잔을 털어 넣는 소주와 맥주는
연대의 연료다. 〈라이브〉에서 전여빈은 시원하게 맥주캔을
따서 친구 한정오(정유미)에게 건네주며 '취업학개론'을
부른다. " 난 포기한 적이 없소, 발버둥치고 있소. 이보소
나도 살고 싶소, 일자리를 주시오. 누가 포기했단 말이오,
나도 잘 살고 싶소. 노-오력 운운하려거든 기회 주고 말하소.
봄이 왔다오. 난 하고 싶은 게 많소. 사랑도, 결혼도, 취업도."
전여빈의 피에 요동치며 흐르는 감흥과 신명은 관객들에게
고스란히 전달된다. 어쩌면 전여빈의 연기는 친구를 위해,
나를 위해, 오늘도 생존한 모든 이들을 위해 부르는 그녀
방식의 솔직한 응원가다. 그래, 살아가자. 이 밥을 다 먹고, 이
술을 다 마시고 봄 날으로 가자. 오늘의 금기와 한계의 벽 앞에
망설이는 작품들은 전여빈이라는 투명한 배우를 부적처럼

붙이고 돌진하면 그뿐이다. 그리운 망자들이 쳐 놓은 단단한 결계의 땅. 그 위에 죽음의 사슬로 촘촘하게 엮은 트램펄린 위에서 배우 전여빈은 뛰고 구르며 자신에게 허락된 생을 가장 역동적으로 즐기는 중이다. 그대 눈동자에 건배! 내일 뵙겠다는 인사가 이보다 더 미더운 배우가 없다.

멜로가 체질

INTERVIEW

Interview
전여빈 X 백은하

Photography
전여빈 X 전윤영

**늘 가까이서 또 멀리서 전여빈
배우의 행보를 지켜보고
있었습니다.**

저야말로요. 제 침대 앞 스툴 위에
『배우 이병헌』이 위풍당당하게
놓여 있어요. 배우연구소에서 내신
책들도 이미 다 읽었더랬어요.
『넥스트 액터 고아성』은 책을
딱 덮는 순간에 이 배우를 다시
알게 되는 느낌이 드는 너무 귀한
책이었어요. 게다가 고아성 배우는
글도 너무 잘 쓰시던데요! 마음속에
되게 많은 걸 갖고 있는 사람이구나,
이렇게 오랜 시간 연기한 배우도

이런 마음이 자꾸 드는구나,
이런 고민을 하는구나, 공감하고
위로받는 기분이 들었어요.

**'넥스트 액터'를 제안하며
나누었던 첫 전화 통화가 너무
인상적이었습니다.**

저는 어떻게 보면 연기를 시작한 지
얼마 안 된 사람이잖아요. 그런데
어떤 날은 내 마음 안에서 열정이
막 넘치기도 하고, 어떤 날에는
이상하게도 마음이 갑자기 쫙
가라앉기도 하거든요. 이게 뭘까?
난 초심을 잃어버린 건 아닌데,

이 마음은 어디서 발생하는 걸까?
소장님으로부터 '넥스트 액터'를
함께하자는 첫 연락이 왔었을 때,
나에게도 언젠가 기회가 오면 참
좋겠다고 생각했던 일이었는데
막상 제안을 받으니 뭔가 무섭기도
하고, 또 한편으로는 내 안에 이런
책을 쓸 재료가 너무 없는 게 아닐까,
걱정도 들었죠. 그러다가 아니야,
그래도 시작을 응원해 주시는
마음일 거라 생각하고, 다시 한번
또 잘해보자고 마음을 다잡았어요.
솔직히 새 작품 들어갈 때보다 더
설레었습니다. (웃음)

전여빈의 시작

배우에 대한 꿈은 언제부터 품게 되었나요?

어릴 때는 막연하게 TV에 나오는
사람들이 멋있어 보이잖아요.
가수가 될 생각은 한 번도 안 했는데
배우들을 보면 나도 저렇게 다른
사람이 돼보고 싶다는 생각을
막연하게 했던 것 같아요. 하지만
그런 생각은 누구나 다 한 번씩
해보는 거니까, 꿈이라고까지는
말할 수 없었죠. 저 역시 보통
학생들처럼 고등학교 때 대략의
진로를 정하고, 대학을 가고,
인생의 단계들이 나열식으로
이어질 줄 알았는데 막상 스무 살이
되었을 때는 인생에서 아무것도
정해져 있지 않은 상태였어요.
그냥 저는 원하는 과에 가지 못한,
입시에 실패한 사람이었고 그
순간 혼자가 된 것 같은 거예요.
다른 친구들은 모두 출발선에서
자신만의 경주를 시작했는데 나는
아예 레이스 자체가 사라져 버린

기분이 들었었어요. 뭘 해야 될지도 모르겠고 자존감이 바닥을 쳐서 그 어떤 것도 할 수 없을 거라는 생각만 커졌고요. 저라는 사람에게 실망했고, 방황했고, 제 안으로 숨었던 시간이었죠. 그 시간 동안에 저를 버티게 해줬던 것들 중 하나가 영화였어요. 한동안은 강릉에 있는 신영극장에서 거의 살다시피 했어요.

신영극장 키즈였다니!

그런데 그때는 영화관에 들어가는 게 좋으면서도 싫었어요. 유일한 도피 수단처럼 영화관을 갔으니까요. 당시에는 마음만 먹으면 영화관에 하루 종일도 있을 수 있었어요. 영화가 끝난 후에도 밖으로 나가기가 싫어지면 그 어둡고 안락한 공간에서 그냥 앉아 있었어요. 그리고 몇 분 있으면 똑같은 영화가 또 상영이 돼요. 그럼 또 그걸 보고 있는 거예요. 그러다가 결국 영화관 바깥으로 나가면 어떤 날은 하늘이 여전히 밝아요. 난 아침에 들어왔으니까.

그러면 순간적으로 내가 할 일을 안 하고 도망 왔었다는 자각이 확 들어요. 그렇게 나 자신을 덩그러니 마주하게 되기도 했죠. 어떤 날은 낮에 들어왔는데 저녁에 나가면 이미 어두워요. 그럼 또 내가 뭘 했다고 이렇게 밤까지 있었나 자책을 하죠. 그렇게 영화관이 도피처이자 죄책감을 느끼게 만드는 공간이라는 생각이 든 이후에는 그냥 방 안에서 담요를 똘똘 말고 하루 종일 노트북으로 영화만 봤던 것 같아요. 당시에는 좋은 영화가 뭔지 잘 모르니까 〈죽은 시인의 사회〉처럼 논술 선생님이 추천해 주셨던 영화들을 봤는데 그래도 영화를 보면 기분이 좋아졌어요.

좋은 영화의 힘이죠.

그러다가 막연하게 생각했어요. 만약에 다시 뭔가에 도전할 수 있다면 나 이런 걸 만들어보는 사람이 되는 건 어떨까. 결국 용기를 내서 오빠에게, 나도 연기나 영화 한번 해보고 싶은데 이 쪽으로 시험 봐볼까? 물었는데 오빠가 약간의 고민도 없이 이런 말을 하는 거예요. "여빈아 정말 신기하다, 네가 책상에 앉아서 너무 행복한 얼굴로 독백 대사를 큰 소리로 읽고 있는 꿈을 꿨어"라고요. 평소에 오빠가 꿈에 관심이 많고 자기가 꾸는 예지몽에도 의미를 두는 편이거든요. 여기서 놀랍고 재밌는 것은 오빠가 기독교 신자라는 건데. (웃음) 여하튼 자기가 엄마를 설득해보겠다고 했죠. 너무 고마웠어요. 당시엔 제 욕심만으로는 진로를 결정할 수 없고 가족들의 동의와 도움이 필요했던 상태였거든요. 결국 오빠가 용기를 내서 엄마에게 허락을 받아줬고, 지금 우리가 할 수 있는 가장 빠른 행동이 뭘까라고 생각한 끝에 연기 학원을 가보자고 결정을 한 거죠.

그렇게 처음 서울행이 시작된 거네요.

정보가 많지 않은 상황에서 무작정 서울에 있는 한 연기학원에 갔는데 첫날부터 저와 맞지 않는 곳이라는 걸 알았어요. 학원 선생님은 보자마자 외모 평가부터 시작했고 그게 발전적인 충고나 따뜻한 조언처럼 느껴지지도 않았어요. 이 선생님은 자신의 학생을 사랑하지 않는 사람이라는 생각이 들었죠. 그 학원은 더 나가지 않았어요. 대신 제 주변에서 유일하게 배우를 준비하는 친구에게 용기를 내서 연락을 했죠. 네가 다니는 학원은 어디야? 자기 학원은 가격도 합리적이고 선생님도 좋다는 거예요. 심지어 그때 다른 학원들은 교습비가 60만 원 정도였는데 거긴 반값이었죠. 다른 선택의 여지가 없었어요. 나도 돈이 없고, 가족들이 도와줄 수 있는 범위도 한계가 있었으니까. 그렇게 학원을 한 달 정도 다녔던 것 같아요. 너무 늦게 준비를 한 탓에 시험 날짜가 얼마 남지 않은 것도 있었고 사실 당시에 한 달에 30만 원 학원비라는 것도 저에겐 너무 컸어요. 입시 원서비도 내야 되고 서울에 사는 데 드는 생활비도 있었고 그래서 선생님께 다음 달은 못 다닐 것 같다고 말씀드렸더니 청강을 할 수 있게끔 수업을 열어주셨어요. 최소한의 비용으로 주 3회 지도수업을 끊고 대신 거의 매일 다른 친구들의 수업을 구경했죠.

그 고마운 곳은 어디인가요?

'프리 아카데미'라는 곳이었어요. 선생님이 이제는 연기 안 가르치고 치킨집 할 거라고 항상 그러셨는데 어느새 다른 지역에 지점을 늘리셨더라고요. (웃음) 학원에서 친구들이 연기하는 모습을 그냥 보는 것만으로도 너무 재밌었어요. 연기를 통해 오히려 그 사람을 더 잘 알게 되는 느낌이었어요. 예를 들어 첫인상은 별로였는데 연기하는 모습을 보면 아, 저 친구 내가 모르는 따뜻함이 있구나, 섹시함이 있구나, 그런 것을 발견하는 재미가 굉장하더라고요. 그렇게 학원을 다니면서 연기라는 것에 대한 욕망이, 엄청난 흥미와 갈증이 짧은 시간 안에 폭죽 터지듯이 터졌던 것 같아요. 게다가 그 당시에는 모든 면에서 너무 절실했어요. 왜냐하면 저는 이미

겁을 많이 먹은 상태니까요. 이번 입시에 떨어지게 되면 다시 도전할 마음이 생기지 않을 것 같았어요. 만약 이번 도전에도 어떤 성과도 없으면 난 재능이 없는 거니까 일찌감치 마음을 접어 버리자, 더 이상은 하면 안 되는 거다, 욕심이다, 라고 생각했죠. 너무 감사하게도 동덕여대 방송연예과에 들어가게 됐어요. 학교에 들어간 후에는 우리 과 수업의 필수 전공을 제외하고 타과 수업을 이것저것 정말 많이 들었어요. 다른 사람들은 어떻게 살고 있는지, 어떤 걸 배우면서 살고 있는지 너무 궁금한 거예요.

원래 그렇게 호기심이 많은 편이었어요?

아뇨. 오히려 학창시절에는 그냥 경주마 비슷했죠. 식견이 좁은 것에 비해서 집중력이 뛰어나지도 못했구요. 아마도 제 마음의 상태가 제일 문제였던 것 같아요. 열망은 있지만 몰입할 수 있는 상태가 아니었죠. 그 시절의 저를 솔직하게 돌이켜보면 되게 큰 부재 속에 눌려

살았던 것 같아요. 제가 초등학생 때 할머니가 돌아가시고 다음 해 아버지도 돌아가셨어요. 할머니의 암이 발견되었을 때는 이미 손을 쓸 수 있는 단계가 아니었어요. 어린 나이에 할머니와 병실에서 약속을 했었거든요. 우리 아기가 나중에 커서 의사가 되면, 할머니가 그때까지 살아있을 테니까, 꼭 병을 고쳐달라고. 그 말이 어린 마음에 되게 소중한 꿈처럼 자리잡았고 할머니가 떠나신 후에도 혼자라도 그 약속을 지키고 싶은 마음이 한 켠에 계속 있었나 봐요. 고등학생이 됐을 때 좋은 의사가 됐으면 좋겠다고 생각을 했지만 노력에 비해 성적이 따라주지 않았어요.

마음과 꿈, 열망 그리고 할머니와의 약속은 있지만 능력이 따라주지를 못하니까 점점 간극이 커졌죠. 결국 나는 약속도 지키지 못하는 못난 사람, 패배자라는 마음을 3년 내내 갖고 지냈던 것 같아요. 사실 저는 메스를 들고 피를 보기엔 무서운 걸 너무 싫어하고 비위도 굉장히 약한 사람이었는데 말이죠.

전여빈 표 메디컬 드라마는 영영 못 보는 건가요?

그땐 또 연기니까 마음 강하게 먹고 하겠죠? (웃음) 하지만 그런 마음의 종결을 지은 게 배우라는 꿈을 가지면서였어요. 의사가 된다고 해도 외과적 수술이 아니라 마음이 아픈 사람들을 고쳐주고 싶다는 생각을 했는데 만약에 배우가 된다면 내가 영화로 도움을 받은 것처럼 다른 이의 마음을 치유할 수 있겠다고요. 근데 진짜 생각해보면 그때 저는 누군가를 치유하는 의사가 되고 싶은 게 아니라 내가 치유 받고 싶었을 거예요. 내가 다독거림을 받고 싶었고 누군가 제 마음을 쓰다듬어

주길 바랐을 거예요. 그 당시에 저는 어떤 가까운 사람들에게도 마음을 터놓지 못했었어요. 지금은 많이 건강해져서 소장님한테도 이런 솔직한 얘기를 하지만 그 당시는 친한 친구에게도 제 상태를 절대 말 못 했어요. 누가 내 마음을 알아버리는 게 싫어서…. 너무 방어적인 상태였죠. 그런데 영화는 직접적으로 말을 전하는 것도 아닌데 누군가에게 용기가 되고 힘을 줄 수 있잖아요. 결국 배우가 의사와 같은 일을 하게 되는 게 아닐까라는 생각을 했던 것 같아요. 배우라는 꿈으로의 전환이 자연스럽게 일어났죠. 게다가 처음 연기학원에서 대본을 읽었는데, 선생님이 너 잘한다, 이러시는 거예요. 저는 좀 바보 같아 보인다고 생각했는데 너 괜찮은데? 라는 피드백을 받았을 때는 본능적인 기쁨을 느꼈어요. 때론 대본에 슬픈 상황이 있으면 그 뒤에 숨어 마음껏 울 수도 있었죠. 선생님으로부터 몰입력이 좋은 것 같다고, 시험을 준비해도 될 것 같다는 긍정적인 피드백을 받기도 했고요.

살면서 제일 큰 칭찬들을 계속 받았던 시기였겠네요.

의대 입시를 준비할 때는 담임 선생님에게조차 꿈을 다시 설정하는 게 어떻겠냐라는 말을 정말 많이 들었거든요. 근데 사실 선생님의 말이 맞는데 내 마음이 허락을 안 한 거였죠. 게다가 실력과 상황은 계속 부정을 당하고 있었죠. 그러다 연기수업을 하면서 처음으로 칭찬이란 걸 받았어요. 좋은 선생님들을 만났던 행운일지도 몰라요.

좋은 선생이란 결국 제자 스스로도 발견하지 못하는 내부의 가능성을 발견해 주는 사람이기도 할 테니까요.

늘 제 속에 되게 뜨거운 게 있다는 말씀을 하셨어요. 그런데 배우가 되려면, 남한테 보여주는 사람이 되려면, 그 안에 너무 빠져서만은 안 되고 좀 떨어져 나와서 자신이 무얼 가지고 있는지를 볼 줄 알아야 된다, 고요. 대신 그 뜨거운 재료가 없는 사람도 있는데, 너에겐 있으니

그걸 어떻게 표현하면 좋을지만 고민해보라고. 연기학원 선생님도 대학 때 교수님도 비슷한 결의 이야기를 해주셨던 것 같아요. 원석이 네 속에 있으니 그걸 잘 다듬어보라고.

전여빈의 탐험

강릉 사투리 경연대회에 나간 사진을 보고 이 사람의 엉뚱함은 도대체 어디서 나온 건가, 싶었어요.

입시 준비 때 기본 연기 외에 특기가 필요한데 별다른 게 없다고 하니 선생님이 너 혹시 강릉 사투리를 잘하냐? 물으셨어요. 사실 제 또래는 그렇게까지 심한 사투리를 쓰지는 않는 편이라 할머니 할아버지들이 쓰는 사투리를 배워보겠다고 했죠. 짧지만 특훈을 통해 배운 강릉 사투리를 특기로 대학에 합격했었더랬어요. 스물 두 살 때였나? 배우가 되겠다고 서울에 갔는데 사실 눈에 보이는 성장과 성과는 없었죠. 이따금씩 장학금을 받고 아르바이트도 꾸준히

했지만 서울생활을 위해선 여전히 엄마로부터 유학비를 제공받고 있었는데 그게 되게 미안했던 것 같아요. 어머니에게 조금이라도 도움이 되고 싶다는 마음과 뭔가 증명하고 보여주고 싶다는 마음이 컸던 상태였는데, 엄마가 강릉 단오제에서 강릉 사투리 대회를 한다는 거예요. 김치 냉장고가 필요했는데, 1등 상품이 딱 김치 냉장고라면서 네가 나가면 무조건 상을 받을 것 같다고. 그렇다면 어디 효도 한번 해보자! 내가 아주 스파르타 식으로 열심히 준비해서 김치 냉장고를 타주겠어. 안 되면 엄마에게 그래도 내가 이렇게까지 노력은 했다고 말은 할 수 있겠지, 라는 생각으로 대회에 나갔죠.

어떤 이야기를 강릉 사투리로 한 건가요?

학생 때 있었던 일화였어요. 친구들이랑 막 와다다다 지하철에 타서 빈자리에 앉으려다 벌어지는 이야기를 강릉 사투리로 바꿔본 거죠. 사실 그 무대에 오르는 용기를 낼 수 있었던 것은 김치 냉장고 이전에 어머니 때문이었어요. 당시 어머니가 카드 영업 일을 하셨는데 방학 때 엄마 일을 따라다닌 적이 있어요. 장거리 운전에 말동무라도 해드리자는 마음에. 처음 며칠은 차 안에만 있다가, 나중엔 옆에서 뭐라도 도와드려야지 하고 같이 나갔는데 그때 정신이 퍼뜩 들었어요. 엄마가 하시는 일이란 것이 진짜 어려운 일이더라고요. 난생처음 보는 사람을 앞에 두고 상품에 대해 설명하고 그 사람의 마음을 얻어내는 일이었죠. 동의를 얻어내기 위해서 타인에게 말을 거는 것의 어려움이란, 이미 동의를 얻은 관객들 앞에서 대사를 하는 것과는 비교할 수 없는 거더라고요. 그 순간 정말 많은 생각이 들면서 서울 가면 연기 진짜 똑바로 해야 되겠다, 절대로 어떤 것도 부끄러워하지 말아야 되겠다, 엄마는 허락받지 못한 무대에서 저토록 최선을 다해 당신 앞의 사람을 설득하고 있는데, 이미 만들어진 스테이지 위에서 내 몫을 못하는 배우는 돼서는 안

되겠더라고요. 그때 제 안의 기준이 되게 많이 무너졌어요. 그리고 그것이 무엇이든 엄마한테 힘이 되고 싶었고요. 사투리 경연대회도 어떻게 생각하면 부끄러운 도전일 수도 있지만 내 벽을 하나 부숴보자는 생각이 있었죠. 엄마가 일하시는 걸 보면서 느꼈던 그날의 감정은 이후 배우로서의 제 태도 자체를 바꾸었던 엄청난 계기가 되었죠.

결국 김치 냉장고의 주인이 되었나요?

아니요. 진짜 1등을 해 버렸는데, 1등 상이 넷북이었어요. 김치 냉장고는 전년도 상품이었는데 그 해는 협찬이 안 됐대요. (웃음) 사양도 용량도 별로 좋지 않은 넷북이었는데 그래도 대학 생활에 요긴하게 잘 쓰긴 했어요.

어떤 대학생활을 보냈나요?

방송연예과에는 연기뿐 아니라 아나운서, 개그맨, MC, 작가까지 다양한 꿈을 꾸는 친구들이

모여요. 그런 자유로운 무리들 속에서 나라는 사람에 대해 좀 더 냉정하게 볼 수 있었고 배우가 되고 싶은 마음의 온도를 확인했던 것 같아요. 어릴 때 연극을 제대로 접한 적도 없고, 그 분야의 입시 역시 너무 짧게 준비한 후 서울에 와보니 완전 새로운 세상이 펼쳐졌어요. 중학교 때부터 배우를 직업으로 삼았던 친구들도 있었고 예고 나온 친구들도 많았죠. 저는 호기심만으로 정말 운 좋게 학교에 붙었는데 그 친구들과 나의 상태를 비교했을 때 내가 정말 너무나 얕구나 하는 걸 느꼈거든요. 아... 연기는 어디서부터 시작이 되는 걸까? 연기를 잘한다는 건 뭘까. 연기를 잘하는 사람들은 어디에 모여 있을까? 그런데 보니까 글 쓰는 사람, 무대 꾸미는 사람, 배우, 연출까지 모두 대학로에 모여 있는 거예요. 그래서 대학로 공연도 정말 열심히 보러 다녔어요. 〈올모스트 메인〉의 노수산나 배우에게 반해서 출연작을 막 찾아보기도 했고, 그리고 김소진 선배님! 저분은 연기를 어디서

배웠을까, 알아보니 중앙대 나와서 한국예술종합학교에서 석사를 하셨더라고요. 한예종은 제가 다닌 동덕여대에서도 가까워서 거기 학생들이 하는 무료 창작 공연을 계속 가서 봤는데 다들 너무 잘하는 거예요. 그때 반했던 배우들 중에서 현장에서 만난 친구들도 있어요. (이)유영이가 그때 셰익스피어 공연을 했던 기억도 나고, 이후 단편을 함께한 김한나 배우도 있었고. 그래서 사실 학교 다니는 도중에 잠시 한예종 시험을 준비하기도 했어요. 그런데 한예종 면접을 보러 갔을 때 익숙한 얼굴이 계신 거예요. 제가 '젊은 연극제' 때 동덕여대 대표로 임원회에 참여했는데 그 팀을 관리해 주셨던 선생님이 한예종의 서충식 교수님이었거든요. 순간 멍해졌죠. 학교 잘 다니고 있는데 왜 왔냐고 하셔서 "연기를 더 잘 배우고 싶어서 왔다"라고 말씀드렸어요. 그러니까 다시, 너 공부를 하고 싶은 거야? 아님 배우가 되고 싶은 거야? 라고 물으셨어요. 그래서 "공부도 하고 싶은데 사실 배우가 되고 싶어서 공부를 하는 것이겠죠"라고 대답을 했더니, 학교마다 배우는 건 다 똑같아, 중요한 건 네가 데뷔를 하는 거야, 배우는 현장에서 배워야 돼, 그러고도 만약에 더 공부하고 싶으면 그때 우리 학교 대학원으로 와, 라고 하셨어요. 되게 완곡하게 너는 한예종에 들어올 수 없다고 말하는 것일까? 라는 생각이 들면서 무겁게 발걸음을 돌렸는데 그 말이 계속 마음에 맴돌았어요. 그 말씀이 기폭제가 되어서 그래, 그렇다면 막연하게 두려워하지만 말고 진짜로 필드로 나갈 준비를 차곡차곡 해볼까? 진짜 대학로에 나가서 여기는 도대체 어떻게 구성이 되어 있는지 한번 알아보자, 는 마음이 생겼죠.

나를 보다. 목소리를 내다

배우가 아니라 극단 스태프로 먼저 일하게 된 이유가 있나요?

일단 연극부터 시작을 해보는 게 어떨까 싶어서 대학로 공연에도 지원을 많이 했는데 하나같이 다

떨어지는 거예요. 절망했죠. 왜 나는 안 될까. 기본기가 없어서 그런가. 그런데 연기 오디션을 본 이후도 아니고 서류전형부터 떨어지니까 아예 연극 스태프로 들어가서라도 가까이서 보고 경험하자는 생각이 들었어요. '극단 인어'에서는 조명과 음향을 동시에 맡으면서, 조연출 B 역할도 했죠. 하지만 말이 조연출이지 막내라는 뜻이었던 것 같아요. 공연이 시작되기 전에 표 티케팅부터, 관객 안내도 하고 검표도 하고 포스터도 붙였던 것 같고. 이규형, 김재범 선배님이 연기하신 〈유럽 블로그〉라는 공연에서도 스태프로 일했죠. 그리고 〈서툰 사람들〉의 장진 감독님이 계시는 극단 '수다'에서 반년 가까이 계약직 스태프로 일하면서 무대 소품도 옮기고 음향, 조명도 배웠어요. 연기하는 사람들의 언저리엔 있었지만 무대 위로 올라가지 못하고 지켜보는 시간을 꽤나 오래 가졌죠. 물론 그 사이에도 오디션 신청 서류를 계속 넣었지만 자꾸 떨어지는 거예요. 그러다가 오디션 볼 기회라도 얻으려면 제대로 된 사진이라도 있어야겠구나 하고 프로필 사진 찍는 곳을 알아보기 시작했어요.

한 단계, 한 단계, 도장 깨기 같은 '배우 되기' 과정이네요

그렇게 옛날도 아닌데 당시에는 뭐가 이렇게 어려운지 매번 그런 식이었어요. 그런데 어렵게 스튜디오를 찾아서 프로필 사진을 찍었는데 이게 참... 너무 저 같지 않은 사진인 거예요. 부자연스럽고 어색하고, 이 사진을 보내면 아무도 나한테 신경도 안 쓸 것 같았죠. 당시 저희 오빠는 주로 풍경 사진을 찍고 있는 포토그래퍼였는데 부탁을 하게 되었어요. 오빠 나 이런 느낌의 사진을 이런 구도로 찍고 싶은데 좀 찍어줄 수 있을까?.

어떤 느낌이라고 설명했는데요?

필름 사진 느낌인데... 스튜디오의 쨍한 하얀 빛이 아니라 자연광 속에 햇빛이 이렇게 노랗게 비치는데... 사람 얼굴이 약간 이렇게 클로즈업돼 있는데... 포토샵 돼 있는 거 아닌 그런 느낌적인 느낌 있잖아,

하면서요. 그래서 오빠와 강릉
고향집 뒷산에 가서 꽃도 있고 풀도
있는 곳을 걸으면서 사진을 찍어
바로 뷰 파인더로 확인을 했거든요.
그런데 이 사진들은 너무 마음에
드는 거예요! 지금 생각해보면 그게
뭔가 진짜 시작의 순간 같아요.

진짜 인생의 중요한 순간마다
늘 오빠가 함께 있었네요. 바로
『넥스트 액터 전여빈』의 사진 작업을
함께해 준 전윤영 포토그래퍼죠.

오빠와 같이 사진을 많이 찍어서
이제는 별로 긴 말을 하지 않아도
척척 통하는 게 많은 최고의
파트너죠. 사실 어릴 때는 오빠가
너무 잘생겨서 사람들이 항상
오빠보고는 정말 예쁘네, 그러다가
둘째는... 둘째도 남자? (웃음) 그러면

엄마가 딸 아이에요! 라며 확인을
시켜주셨죠. 그래서 어릴 땐 엄마가
더 과하게 예쁜 옷을 입히기도
했대요. 못난이 인형 사주시고 너랑
닮았다고 놀리기도 하셨다지만,
사실 할머니랑 엄마한테 워낙
사랑을 듬뿍 받고 자라서인지 제
생김새에 대한 불만은 딱히 없었던
것 같아요.

**찍어낸 듯한 기존 프로필 사진에
거부감을 느낀 건 어쩌면 처음부터**

**스스로 보여주고 싶은 모습이
명확했던 사람이었다는 생각이
드네요.**

남녀 구별이 확실히 되는 시점
이후부터는 엄마가 오히려 보이시한
옷을 주로 사다주셨어요. 물론 나도
예쁜 공주 옷을 입고 싶다는 생각도
했지만 당시엔 선택권이 없었죠.
게다가 처음엔 내 취향이 아니라고
생각했던 그 옷들이 점점 좋아지고
취향이 바뀌더라고요. 지금도
편하고 꾸미지 않은 자연스러운
느낌을 확실히 좋아하는 것 같아요.

**'한복 입은 전여빈' 사진도 지금까지
화제잖아요.**

그건 포토그래퍼로 일하는
친구가 찍어줬어요. 중성적인
동시에 동양적인 느낌을 잘 살릴
수 있는 이미지를 드러내는 게
좋겠다 싶었죠. 제가 당시 유명한
배우도 아니고 가진 것도 없는데
'서담화 한복'이라는 곳에서 그냥
도와주시겠다고 한복을 협찬해
주셨어요. 헤어 메이크업도 아는
언니가 말도 안 되는 돈만 받고 거의

봉사에 가깝게 해줬고요. 지금
생각해도 모두 너무 감사한 일이죠.
당시에는 페이스북을 하던 시절이라
그렇게 오빠, 친구와 찍은 프로필
사진들을 포트폴리오로 생각하고
거기에 올렸어요. 원래는 연극에
캐스팅되려고 올렸던 사진이었는데
그걸 보고 예상치도 않게 영화
관계자, 캐스팅 디렉터, 조 감독님
등으로부터 꽤 많은 영화의 오디션

제안이 왔었어요. 〈간신〉의 민규동 감독님도 그 사진을 보고 이 친구 오디션 한번 보러 오라고 하셨고요.

프로필 사진의 중요성을 알리는 가장 좋은 예네요.

그런데 연락 주시는 분들 중에는 좀 이상한 분들도 있었고 믿음이 안 가는 사람들도 있었죠. 그렇다면 좀 더 안전하게 일할 수 있는 소속사가 필요하다는 생각이 들어 당시 장진 감독님이 이끌던 매니지먼트 회사인 '필름있수다'를 제가 직접 찾아갔어요. 나 사실 여기 극단에서 스태프로 일했는데 원래는 배우를 꿈꾸고 있다, 근데 이제 기획사가 필요한 것 같다고. 프로필 사진부터 가져갈 수 있는 걸 다 가지고 갔어요. 어쨌든 내가 어떤 사람인지 보여드려야 되니까. 장진 감독님께 짧게 찍었던 단편 트레일러나 뮤직비디오까지 핸드폰으로 보여드렸어요. 그리고 그날 오후에 잘 될 것 같다는 이야기를 전해 듣게 되었어요. 너무 행복했죠. 그 이후에는 회사가 주는 건강한 소속감 아래서 마음껏 배우로서 독립 작업들을 할 수 있게 됐어요.

이후엔 오디션을 많이 보게 되었나요?

상업 영화 오디션을 두 차례 정도 더 보러 갔던 것 같은데 비교적 오디션을 많이 본 배우는 아니었어요. 많은 곳에 가서 나를 단숨에 알리고 싶지는 않았어요. 신비주의가 아니라 배우로서 내가 가진 장기가 뭔지 나 스스로도 파악이 잘 안 된 상태였으니까요. 그러다가 한 오디션 장에 갔는데 연기 시연도 무난하게 했던 것 같고, 개인적인 이야기도 물어보셔서 진솔하게 대답을 했을 뿐인데 마지막에 돌아오는 답변이, 효도를 하고 싶으면 당신은 연기를 안 하는 게 좋겠다, 는 거예요.

굳이 그렇게까지?

너무 충격적이었죠. 너무 멍해져서 일단 알겠다고 끄덕끄덕하고 집에 돌아왔는데 되게 화가 나더라고요. 화가 나는데 주체가 안 되니까 막 일기를 썼던 것 같아요. 내가 왜

화가 났을까를 쓰고, 왜 그런 말에 똑바로 대응하지 못했는지를 쓰고 나니까 좀 진정이 되면서 이런 생각이 들었어요. 어차피 난 이제 연기를 포기할 용기가 없으니까 계속할 수밖에 없다고. 고등학교 때 갖고 있던 그 꿈도 결국 포기할 용기가 없어서 질질 끌고 있었는데, 겨우 다시 생긴 이 꿈마저 포기할 용기가 도저히 안 나는 거예요. 그래 오히려 이 마음을 그냥 받아들이고 노력을 한번 더 해보자. 지금까지 안 된 건 어쩔 수 없고, 일단은 가보자. 날아가다가 유리창에 부딪혀서 피투성이가 되어도 어쩔 수 없으니까 일단은 부딪혀보자고. 그렇게 무작정 돌진하려고 했던 그때 너무 감사하게도 좋은 독립 영화의 시나리오가 찾아오기 시작했죠.

우주복 헬멧을 쓴 서울 국제 여성영화제 트레일러도 그 시기에 찍었죠?

마음이 다치고 난 지 얼마 안 지났을 때였던 것 같아요. 김예영, 김영근 감독님 역시 제 프로필 사진을 보고 트레일러를 찍자며 직접 연락을 주셨어요. 그 헬멧 속에 제 얼굴이 가득 찼으면 좋겠다는 생각이 드셨다고. 그리고 곧 문소리 선배님한테서 연락이 왔어요.

아침 9시 반에 받았다는 그 행운의 전화, 말이죠. (웃음)

소리 선배님 주변에서 한결같이 제 사진을 보여주면서 이 친구 괜찮지 않냐, 고 했었대요. 사실 직접 연출할 영화의 시나리오 쓰면서 그렸던 서영의 이미지는 전혀 아니었는데 김래원, 구정아 피디님을 비롯해서 주변에서 중첩되게 추천을 하니 관심이 생겼다고 하셨어요. 처음 카페에서 뵙고 그랬어요. 선배님, 저는 너무 말을 하고 싶은데 아직 말을 제대로 한 기억이 없다고, 연극 스태프 하면서 음향을 조정할 때도 대사를 너무 하고 싶었다고, 〈간신〉도 30회 차 나갔는데 말을 한 마디도 못해 어깨에 담이 와서 한의원에 갈 정도였다고. 그 말에 문소리 선배가 엄청 웃으시더니 그러면 한번 말소리 들어볼까, 하며 대본을 주시더라고요.

〈여배우는 오늘도〉의 '최고의 감독'은 그러고 보니 배우 전여빈의 첫 '유성영화' 데뷔작인 셈이네요.

내가 정말 배우로서 발화되는 느낌이 들었던 첫 경험이었던 것 같아요. 물론 학교 무대에서 엑스트라, 단역을 했었을 때도 내가 그 무리 안에서 같이 춤춘다는 거, 조명 아래서 막 뭔가 발산하는 느낌만으로도 너무 신나고 카타르시스가 느껴지긴 했어요. 그런데 그날의 연기는 무대와는 또 다른 행복감이더라고요. 문소리 선배님 그리고 윤상화 선배님까지, 긴밀하게 다른 배우와 주고받는 유기적인 호흡의 감동을 느낀 첫 순간이었어요. 물 흐르듯이 서로가 막 밀고 당기는 호흡을 처음 느껴봤던 거죠. 영화 연기라는 게 이런 거구나, 너무 재밌다. 사운드 감독님께서도 모니터 없이 소리만 들어도 이 앙상블이 너무 재밌다고, 서영이가 너무 웃기고 이상한 애 같다고 하셨죠. 그 현장에서 칭찬을

많이 받았어요. 그리고 그 현장에서 얻게 된 모든 것을 저는 거의 처음 물을 마셔본 사람처럼 꿀꺽꿀꺽 쉬지 않고 삼켰었던 것 같아요.

그렇게 2015년부터 배우로서 물길이 열렸습니다. 게다가 막 등장한 신인 배우인데 〈여배우는 오늘도〉에 이어 〈죄 많은 소녀〉 같은 극단적으로 다른 연기의 스펙트럼을 보여주기도 했구요.

〈여배우는 오늘도〉를 본 후 영화 관계자, 동료들이 함께 작업을 하고 싶다고 연락해 오기 시작했어요. 뮤직비디오를 찍기도 하고 〈메리 크리스마스 미스터 모〉, 〈여자들〉도 찍고. 〈우리 손자 베스트〉는 구교환, 이옥섭 감독님이 티파니 역에 여빈 씨 어떠냐고 추천했다고 그러더라고요. 데뷔 초에 뵀었던 손재곤 감독은 '나무늘보' 역이라며 〈해치지 않아〉 시나리오를 주셨고, 이병헌 감독님도 〈여배우는 오늘도〉와 〈죄 많은 소녀〉를 너무 잘 봤다며 〈멜로가 체질〉을 같이 하자고 연락을 주셨죠. 그렇게

모든 일들이 동시다발적으로 자연스럽게 이어지면서 여기까지 온 것 같아요. 그런데 정작 〈죄 많은 소녀〉의 김의석 감독은 제 전작을 보지 않은 상태에서 오디션만으로 결정을 하셨는데, 〈여배우는 오늘도〉로 저를 먼저 접한 분들 중에 캐스팅을 반대했던 분들도 계셨다고 들었어요. 그냥 오디션에서 잘했을 뿐이지 영희에게 맞는 배우는 아닌 것 같다고. 어떤 작품을 하나 끝내면 비슷한 역할이 쭈르르 들어와요. 〈여배우는 오늘도〉를 보셨던 분은 서영이랑 닮은 역할들만 보내셨고 이어서 〈죄 많은 소녀〉가 세상에 나오고 난 다음에는 영희를 닮은 친구들이 저를 많이 찾아왔어요. 그러다 〈멜로가 체질〉의 은정이를 보내고 난 다음에는 은정이 같은 친구들이 많았죠. 근데 저는 그런 마음이 있어요. 각 작품에서 내가 살았던 인물들의 인생을 겹치지 않게 각자 지켜주고 싶은 마음… 의리라고 할까?

구체적으로 어떻게 지켜줄 수 있을까요?

〈멜로가 체질〉의 은정이를 떠올리면 딱 은정이의 목소리나 표정이 있거든요. 물론 어쨌든 모두 나라는 사람 안에서 파생된 캐릭터들이겠지만 각 친구들만의 뭔가 시그니처인 것들이 제 안에서는 다 나눠져요. 그 캐릭터로 살 때 사용했던 표현들이 있잖아요. 습관이나 말투 같은. 각기 다른 특성들을 제 마음 안에서만큼은 구획을 나누려고 해요. 물론 아직 작품 수가 적어서 가능할지도 모르죠. 저라는 재료는 어쨌든 한정이 되어 있으니까 분명히 겹쳐질 수밖에 없을 테고요. 그래도 최대한 내 안에서만큼은 각자의 영역을 지켜주려고 노력하고 있어요.

신인 배우의 경우 흔히 말해 '쎈캐'를 맡아야 눈에 띄게 마련이죠. 하지만 그렇게 혜성처럼 등장한 배우가 누군가의 예술적 페르소나로 활용된 후 다음 생명을 독립적으로 연장하지 못하고 사라져 버리는 경우도 많죠. 캐릭터가 큰 사랑을 받을수록 오히려 배우가 발목을 잡히기도 하고 지속적으로 비슷한 역할만 요구되거나 특정 시장 안에 머무를 수밖에 없는 예도 있었고요. 하지만 〈파수꾼〉의 이제훈, 〈한공주〉의 천우희, 〈거인〉의 최우식 그리고 〈죄 많은 소녀〉의 전여빈 배우의 선택과 변화, 성장을 지켜보면서 면역력과 자생력이 뛰어난 새로운 세대의 배우들이란 생각을 했어요.

〈죄 많은 소녀〉 이후에 저 배우는 상업적인 작품이나 밝은 역할은 못할 것 같아, 라는 시선도 있었어요. 사실 제 안에는 어두운 면도 있지만 밝고 명랑한 모습도 많거든요. 집에 가면 엄마한테 되게 재미있고 웃긴 딸인데 말이죠. 하지만 그때도 지금도, 저는 작품에 따라 변모할 수 있을 거라는 자기 믿음과 욕망이 있어요. 그럴 수 없을 거야, 라는 우려의 말을 들으면 오히려 그렇게 되고 싶은 욕망과 본능이 더 커져요.

칭찬보다 의심에 더 자극되는 사람인가요?

타인의 평가와 관심은 다 긍정적으로 작용하는 것 같아요.

칭찬하면 해주시는 대로 또 열심히 하게 돼요. 동시에 제 스스로가 극복하는 힘이 크다는 것도 믿어요. 오히려 제일 무서운 건 나 스스로를 너무 채찍질할 때죠. 좋은 연기에 대한 고민은 여전히 끝나지 않는 것 같아요. 매 작품마다 늘 부끄러웠던 연기들도 있고요.

예를 들어서요?

그건 절대 말할 수가 없어요. (웃음) 마치 사랑하는 사람이나 내 가족의 흠을 굳이 내 입으로 말할 수 없는 것 같은 그런 느낌인 거죠. 인정하기 싫지만, 내 눈에는 분명 보이는 티라서 나는 알고 있지만, 어쨌든 안고 가야 하는 거니까요. 물론 매 작품마다 이건 정말 신이 도와준 거야, 싶을 정도로 기가 막힌, 너무 행복하고 멋진 장면도 있고요.

그게 뭔지는 말할 수 있지 않을까요?

〈멜로가 체질〉에서는 제 연기가 아니라 친구, 동료들과의 호흡이 좋았던 장면이 셀 수 없이 많았어요.

〈죄 많은 소녀〉에서는 취조 신을
정말 좋아해요. 그리고 화장품
가게에서 경민이(전소니)를
쳐다볼 때, 회상 신에서 경민이랑
한솔이(고원희)랑 펍에 가서 같이
음악 듣던 장면에서의 눈빛들도
정말 많이 아끼는 순간이에요.

상실의 시대

지금까지 연기한 캐릭터를 살펴보면 표면적으로는 장례식의 이미지가 반복되기도 하고, 죽음이 그 인물에게 큰 변화의 요인으로 작용하기도 하더라고요. 서로 다른 장르, 주제, 이야기인데도 그 속에서 연기한 캐릭터에의 주변엔 늘 죽음이 깃들어 있었어요.

(잠시 침묵) ... 진짜 그랬나 봐요. 어쩌면 내 마음에서 여전히 되게 큰 두려움이기도 하고 너무 당연하게 받아들여야 할 과제였나 봐요. 죽음이란 저라는 사람이랑 아예 분리할 수가 없는 그런 재료가 됐다고 해야 되나... 인지를 했던 적은 없었던 것 같아요. 제가 정말 그걸 되게 극복하고 싶었나 봐요. 사실 소장님, 저는 연기를 하면서 성격이 진짜 많이 밝아졌어요. 건강해졌어요. 물론 지금도 오르락내리락하는 기복은 늘 있지만 내 안에서 골몰하던 마음들을 이제는 상대에게 사랑으로 나눌 수 있는 힘이 좀 더 커졌어요. 예전에는 그걸 나누는 걸 두려워했다면, 이제는 바로바로 표현하려고 해요. 그런데 이것도 어떻게 보면 인생의 유한함을 계속 인지하고 있다는 것과 닿아 있겠죠. 나중에 고맙다는 말을 못 해줄 수도 있으니까.

항상 이 순간이 끝일 수도 있다는 두려움이 있는 거죠.

제가 사실 뭐든 버리는 병이 있어요. 어렸을 때부터 일기를 쓰고 나면 그걸 다 찢어버렸어요. 누가 내 마음을 알까 봐, 누가 내 속마음을 나 모르게 읽어 버리게 될까 봐. 사진을 남기는 게 싫어서 핸드폰 사진을 백업을 안 해요. 아마도 너무 어렸을 때 가까운 가족의 부재를 경험하면서 생겨 버린, 나쁘게 말하면 트라우마인 것 같고, 좋게 말하면 뭐라고 해야 될까요, 인생의 이치를 조금 빨리 느꼈다고 해야 되나. 어쩌면 갑자기 모든 게 사라질 수 있다는 두려움이 너무 커서 그런 것 같아요. 그래서 정말 친한 친구들한테는 나는 보관을 잘 못하니까 우리 사진이 있으면 네가 남겨 놔 이렇게 얘기를 하거든요.
그런데 이제는 좀 안 그러려고 하고
있어요. 나조차 그걸 볼 수 없다는 게
너무 아쉬운 거예요. 어차피 기록이
남겨지는 직업을 선택해 놓고 너무
모순되는 행동이잖아요. 사실
이 직업을 가져서 너무 다행인 게,
작품 할 때마다 인터뷰를
하고 그러면 누군가 제 얘기를
들어주시고, 물론 살면서 생각이
바뀔 수도 있지만, 그게 기록으로
남잖아요. 내가 그때 저런 말을
했었구나, 저런 마음이었구나.
그래서 이 직업이 어느 순간 엄청
소중하게 느껴지고 있어요.

〈멜로가 체질〉에서
상수(손석구)와의 과격한 티키타카
연기도 너무 재밌었지만, 세상을
떠난 홍대(한준우)를 바라보던
눈빛에서 인간 전여빈의 남다른
깊이가 느껴졌거든요. 어쩌면 이
죽음의 극복이 〈멜로가 체질〉을
선택한 더 큰 이유지 않았을까, 하는
생각도 들고.

〈멜로가 체질〉은 여자 친구들과의

관계도 선택의 큰 이유 중에
하나였고 생각해보면 그보다 더
컸던 건 홍대였던 것 같기도 해요.
출연을 결정할 때까지만 해도
대본을 4부까지밖에 못 받았고
은정이 홍대와의 관계를 어떻게
이어갈 것인지 답은 아직 나오지
않는 상태였죠. 그런데 감독님에게
섣불리 묻고 싶지 않았어요. 같이
있지만 진짜 같이 있는 게 아닌
이 상태를 그냥 그대로 느껴보고
싶었던 것 같기도 해요. 이상하게도.
그러다 한참 촬영이 진행되고 어떤
방식으로든 답을 내려야 하고,
이야기의 갈래가 펼쳐 나갈 때쯤에
물어봤어요. 감독님, 은정이 이제
어떻게 해요? 이병헌 감독님은
은정이는 멋지게 잘 극복할 거라고
그냥 그 답만 해주셨어요.

근데 진짜 극복을 한다는 게
뭘까요? 〈래빗 홀〉이라는 영화에서
니콜 키드먼이 아이를 잃은 엄마로
나오는데 떠나간 사람들의 존재감은
절대 사라지지 않는다는 말을 해요.
하지만 형태와 무게가 변하기는
한다고. 어느 순간 견딜 만한 무게가

되고 어느덧 조약돌만해져서 가끔 잊기도 한다고. 그러다가 다시 주머니에 손을 넣어보면 그 자리에 그대로 있다는 걸 확인한다고.

저는 그랬던 것 같아요. 사실 가까운 사람의 죽음을 듣게 되면 바로 실감이 안 나요. 이게 진짜로 무슨 상태인지를 모르니까. 그 사람이 이제부터 나와 같은 시간을 누릴 수 없는 존재라는 것, 더 이상 내가 예상하지 못한 그 사람의 반응을 느낄 수 없다는 거. 그 사람에 대한 추상적인 형태는 느껴지는데 도저히 목소리가 생각이 안 나기도 해요. 그러다 어느 날 걷다가 하늘이 너무 밝고 따뜻해서 그 사람이 너무 보고 싶어지는데 어디에도 연락할 방법이 없는 거예요. 그때 저는 그런 마음을 극복을 한다는 게 잊는 게 아니라… 나도 같이 사라지고 싶다, 는 생각이 들기도 했어요. 그 '극복'이 뭔지 저는 아직도 잘 모르겠어요. 사실은 여전히 좀 어려워요.

웃음이 체질, 눈물은 오늘도

〈여배우는 오늘도〉나 〈멜로가 체질〉 〈빈센조〉를 보면서 저 배우에게는 자신은 웃지 않고 남을 웃기는 본능적인 코미디의 리듬, 희극 연기의 DNA가 장착되어 있다는 게 느껴졌어요.

정말요? 저는 어릴 때부터 늘 남을 웃기는 사람이 되고, 웃게 만드는 재치를 가지고 싶었는데, 실상은 너무 재미가 없는 사람이었던 것 같아요. 최윤정이라고 정말 재밌는 친구가 있거든요. 초등학교 6학년 때였나? 운동장 단상 근처에서 놀고 있다가 진짜 진지하게, 윤정아 나도 너처럼 웃기고 싶어, 너처럼 웃기려면 어떡하면 돼? 라고 물었어요. 그런데 그 친구 대답이, 그건 배워서 되는 게 아니래요. (웃음)

일상생활에서 재밌는 사람과 코미디 연기를 잘하는 배우는 다른 거잖아요. 친구 전여빈은 '노잼' 일 수 있겠지만 배우 전여빈은 웃긴

연기를 할 줄 아는 거죠.

〈여배우는 오늘도〉 때는 문소리 감독님께서 서영이에 대해 느끼는 포인트를 꽤나 상세하게 얘기해 주셨어요. 이 친구는 정말 진심인데 저게 정말 진심이어서 미워할 수도 없고 너무 진심이라서 미워진다고. 저도 들으면서 뭔지 알 것 같아요! 라고 바로 느낌이 오더라고요. 서영이를 연기할 때는 웃기는 사람이라고 생각하지는 않았어요. 오히려 너무나 이 상황에 진심이어서 밖에서 봤을 때 쟤 진짜 이상하잖아, 할 수 있는 그런 사람이고 그 모습이 관객에게는 웃음을 유발할 수도 있겠다고요. 그래서 최대한 진심을 다해서 그 이상한 사람인 서영이 자체가 되려고 했던 것 같아요. 그것이 배우로서 준비할 수 있는 플랜이자 이성의 영역이었다면, 그 다음은 현장의 호응이 만들어 낸 리듬이었던 것 같아요. 내 안에 숨어있던 바보 미가 들끓어 오르는 거죠. 어린애들한테 잘한다 잘한다 하면 처음에 쭈뼛쭈뼛거리다가도 막 과감해지잖아요.

개다리 춤추고?

맞아요! 개다리춤! 처음엔 기계적인 동작처럼 쓰윽 쓰윽 추다가 조금 탄력을 받으면 근육 떨림까지 사용하면서 달달달달 추게 되잖아요. 그러다가 어떤 약간의 '소울'까지 생겨버리죠. 서영이가 그랬던 것 같아요. 처음에는 조금 삐그덕거렸을 수도 있는데 점점 탄력을 받아서 막 달려나갔던 게 아닌가 싶어요. 그 안에는 어쩌면 어렸을 적부터 가진, 남을 웃기고 싶다는 아주 깊은 욕망이 발현된 것일 수도 있어요. 평상시에는 정말 재미가 없으니까 연기할 때는 웃기고 싶다는 열망이 터져 나온 거죠.

연기적인 희열은 어느 쪽이 더 큰가요? 웃음을 주는 연기? 아니면 눈물을 주는 연기?

물론 남을 웃게 하는 연기나 함께 슬퍼하게 만드는 연기나 배우로서 임하는 자세나 맥락은 똑같은 것 같아요. 각기 다른 어려움과 각기 다른 희열이 있죠. 특히 웃음은 현장에서의 온도와 관객들이 받아들여 주시는 온도가 다를 때가 많아요. 그래서 배우도 감독님도 현장 분위기에 속지 말고, 전체 작품의 선을 정말 잘 조율을 해야 하는 작업이에요. 슬픈 연기는 가끔은 너무 몰입해 있으면 제가 분리가 안 돼서 괴로울 때가 있죠. 물론 그런 몰입의 방식이 효과적인 경우도 있지만, 너무 깊이 들어간 나머지 캐릭터에서 튕겨서 나갈 때도 있더라고요. 사실 아직은 이 부분이 조율하기 좀 어려워요. 만약 감정이 너무 충만하고 슬픔에 너무 빨리 다다를 때는 이게 맞을까 싶죠. 진짜라면 안 이럴 텐데? 부정하는 시간이 있을 텐데? 하는 거죠. 슬픔

또한 코미디만큼 예민하게 조율해야 하는 일이라는 걸 배워나가고 있어요. 그저 현장에서 배우로서의 마음 상태만을 비교해 본다면, 웃길 때 연기가 더 즐겁기는 해요. 나도 재밌었고 현장도 모두 즐거웠으니까, 그 이후의 영역은 감독님들께서 맡아주시는 거니까.

〈죄 많은 소녀〉에서의 어둡고 건조한 연기에 감탄했던 관객들에게 〈빈센조〉의 홍차영은 하이톤에 열정적인, 꽤나 낯선 인물이었죠. 〈빈센조〉의 초반부를 보면서 이 배우가 저런 연기 톤을 잡았다는 것이 되게 큰 용기 혹은 결정이었겠구나, 생각했어요.

감독님도 작가님도 너무 같이 작업해보고 싶었던 분들이라, 사실 대본을 보지 않은 상태에서 마음의 결단을 내렸어요. 2회 정도 미팅을 하면서 어떤 작품을 만들고 싶고, 어떤 캐릭터를 그리고 싶다는 이야기는 들었지만 그것도 아주 구체적이지는 않았어요. 하지만 저는 이미 마음으로는 이분들이랑

꼭 해야겠다, 받아들여 주신다면 나는 꼭 같이 하고 싶다, 고 결심했죠. 나중에 4부까지 대본을 읽었는데, 아 큰일 났다, 생각이 드는 거예요. 제가 느꼈을 때도 초반의 차영이는 살짝 비호감일 수 있겠더라고요. 기존의 틀에 반하는 요소들이 너무 많았죠. 일단 젊은 여자인데, 사치를 부리고 성공과 돈에 대한 욕심, 명예욕을 다 드러내요. 그렇다고 해서 남자 주인공에게 친절한가? 그렇지도 않아, 남자 주인공을 도와주나? 그런 친구도 아니야. 그리고 정말 또 중요한 게 자기 아버지에게도 말도 안 되는 행동을 하잖아요. 같은 변호사고 심지어 좋은 일 하는 사람의 뒤통수나 치고. 유교 사회에서는 있을 수 없는 행동을 하죠. 결론적으로 말해 딱히 좋은 행동을 하지도 않고 도움도 안 되면서 명예와 물질을 쫓는 인물이었죠. 이후에야 어떻게든 풀려나가겠지만 초반부에 어떻게 하면 호감을 이끌어 낼 수 있을까, 내가 배우로서 어떤 표현을 할 수 있을까에 대한 두려움이 컸어요.

문제점이라고 하기에는 좀 그렇고, 혼자서 풀어야 되는 숙제가 분명하게 큰 캐릭터였죠.

홍차영에게는 독특한 리듬이 있죠. 말할 때도 그렇고 건들건들 크게 걷는 보폭의 리듬도 있고.

감독님께서는 처음에 율동감? 남 다른 에너지 같은 게 있으면 좋겠다는 말씀을 하셨어요. 저는 주로 감독님들이 던져주시는 떡밥을 하나 물고 제 안에서 상상을 펼치고, 마인드맵을 그려 나가는 편인데요. 그 상상 속에서는 글로만 읽었을 때 파헤치지 못했던 영역이 떠오르기도 하죠. 이 친구는 어떤 얼굴을 갖고, 어떤 옷을 입고 있을 것 같아, 하는 상상에 각 분야 스태프분들이 제안해 주시는 구체성까지 더해지면 점점 견고하게 그 인물이 그려져요. 약간 뿌옇게 보이던 사람의 뼈대가 보이는 것 같고, 피부톤까지 상상이 되죠. 대본을 읽으면서 캐치한 차영의 '리듬감'이라는 단어에 힌트를 얻어서 본심이나 욕망을 좀처럼 숨기지 못하는 이

친구의 상태를 리듬이나 호흡으로 표현하면 되겠다는 생각에 이르게 되었죠. 통통 튀기는 탱탱볼이나 럭비공 같은. 왠지 걸음걸이에서도 그 리듬이 적용되겠다, 싶었죠. 자신을 보호하는 무기 같은 형태로 에너지를 과시하는 방식으로 걸을 것 같았어요.

아주 진지한 순간과 소동이 벌어질 때의 약간 과장된 목소리 톤을 오가야 하는 어려움은 없었나요?

그래서 오히려 차영의 기본적인 음성을 너무 단조롭게 만들지 않으려고 했어요. 진지하게 본업을 할 때의 톤 역시 너무 낮게 깔리거나 납작하게 설정하지는 않았죠. 그렇게 디폴트 값을 살짝 높여 놓은 상태 위에 공격성을 전투적으로 드러내거나 약간 얄미워질 때 한 톤을 더 올려서 드라마틱한 변주를 주려고 했어요.

그렇게 낯선 느낌으로 다가왔던 홍차영에게 시청자로서 점차 말려들어가는 느낌이 들었어요.

차영이라는 캐릭터는 너무 색깔이 확실하니까 이왕 하는 거 이도 저도 아니게 흐리멍덩하게는 하지 말자, 고 생각했어요. 특히 명희, 김여진 선배님과 붙는 장면을 생각해보면 절대 흐리멍덩한 애면 안 되겠더라고요. 까마득한 선배님에게 그야말로 수시로 '빅엿'을 주는 친구잖아요. 재판에 이기기 위해서는 무엇이든 하는 사람이니까. 술에 술 탄 듯 물에 물 탄 듯하면 안 되는 친구였죠. 결국 이 분명한 채도를 마음껏 발휘해보자는 결단이 섰죠. 만약 과해서 눌러야 되는 부분이 있으면 감독님이 도와주실 거라고 믿었고. 그래서 주변 스태프분들, 매니저님에게도 애가 처음에는 욕을 좀 먹을 수도 있을 거라고, 그럴 수밖에 없는 인물이라고, 하지만 그걸 극복해 나가는 과정이 이 작품에서 나의 과제일 것 같다는 이야기를 해두었어요. 하지만 정작 현장에서 물음표를 가지고 연기한 적이 있었냐, 고 물어보신다면, 솔직히 없었던 것 같아요. 처음에 낯선 느낌은 있었지만 우상

사람들, 빈센조 그리고 금가 프라자 사람들과 함께 있을 때는 제 선택이 맞게 느껴졌어요. 조화롭다는 기분이 들었죠. 그게 차영이라고, 그냥 본능적으로 느껴졌었어요. 그래서 좀 더 과감하게 가져가보자 했죠. 대신 유연한 능구렁이 같은 유형보다는 오히려 그 수가 눈에 뻔히 보이는 사람일 것 같았어요. 화나면 화나는 대로 얼굴에 다 보이고, 지기 싫고 이기고 싶은 욕망을 그대로 다 들켜버리는 친구, 자기가 겪는 진짜 감정에는 좀 서툰 사람이기를 바랐어요.

결국 〈빈센조〉는 홍차영의 성장 드라마기도 했죠.

3, 4개월쯤 촬영한 후에 본 방송 방영이 시작되었는데, 예상은 했지만 단순히 비호감을 넘어서 시청자의 마음을 사지 못한 게 아닌가, 잘못 계획했던 걸까? 고민이 들었어요. 사실 흔들리지 않았다면 거짓말이지만, 그럼에도 불구하고 당시는 제 선택을 믿어주고 싶었어요. 그리고 우리

'빈센조 팀'이 차영이라는 캐릭터를, 그리고 그 사람을 만든 저를 정말 말도 안 되게 전폭적으로 지지해 줬어요. 그러니까 제가 흔들릴 수는 없었어요. 김희원 감독님은 편집본을 이미 다 보셨으니까, 여빈 씨 결국 사람들은 차영이를 이해하게 될 거라고, 이해하게 되면서는 달라질 거라고 믿음을 더해주셨어요. 당시 방영 중에는 (문)소리 선배님이랑 (천)우희 언니가 전화를 줬어요. 처음 믿었던 대로, 하던 대로 계속했으면 좋겠다고. 혼자 마음을 아무리 다잡고 있다고 해도, 내가 존경하고 믿는 선배와 동료 배우가 확신을 주는 건 정말 다른 큰 힘이 되거든요. 저만큼 혹은 저보다 더 지켜주고 지지해 주려고 했던 분들 덕에 끝까지 의심하지 않고 완주할 수 있었던 것 같아요.

모든 필모그래피를 통틀어 〈빈센조〉의 송중기 배우는 카메라 앞에서 가장 장시간 함께 연기한 배우였을 거예요. 두 캐릭터 간의 화학작용이 회를 거듭할수록 좋아지는 게 느껴져요. 예를 들어 사무실에서 둘이 딱밤 때리는, 말이 별로 필요 없는 순간까지.

중기 오빠가 그 장면을 그렇게 잘 살릴 줄 몰랐어요. 시청자들을 어떻게 하면 두근두근거리게 만드는지 너무 기가 막히게 캐치를 하시는데, 저 역시 감탄했죠. 사실 송중기 배우는 실제 동료로서 겪어본 후 반하게 됐던 면이 더 많았어요. 저는 〈빈센조〉 촬영의 후반부로 갈수록 컨디션이 들쑥날쑥하기도 했거든요. 물론 오빠도 당연히 지칠 텐데도 언제나 에너지 배분과 유지를 너무 잘하는 걸 보면서 자책도 많이 했죠. 일을 대하는 태도, 책임을 지는 태도, 노력하는 면까지 너무나 배울 점이 많은 선배라 정말 많이 따르기도 했고 질문도 참 많았던 것 같아요.

영화가 대략 두 시간 안에서 밀도 있는 작업물을 낸다면 드라마는 물리적 시간이 길잖아요. 그래서 더 치밀한 전략이 필요하지 않나요?

제가 아직까지는 공력이 없어서인지,

화면을 이렇게 장악하겠어! 이 신을 이렇게 보여주겠어! 라고 계획을 했던 적은 없었던 것 같아요. 대신 드라마는 이 인물이 어떻게 살았는지 긴 시간 느끼고 서서히 흐름을 타게 되는 것 같아요. 그냥 이 물살을 타보자, 내가 처음 잡았던 이 친구의 리듬을 믿고 이어 나가보자, 하는 식으로요. 그래서 오히려 잔동작 같은 것들도 대본 읽으면서 계산한 것보다 현장에서 자연스럽게 만들어진 것이 더 많았던 것 같아요. 대신에 현장에서 리허설을 정말 꼼꼼하게 했어요. 왜냐하면 그 순간순간 느껴지는 많은 것들을 빠짐없이 체화시켜야 하니까. 그런 생각을 해요. 연기라는 게 멈춰 있지 않잖아요. 말하자면 흐르고 있는 형태인데, 혼자 대본 읽을 때, 함께 리딩할 때, 현장에서 상대 배우와, 동선 위에 섰을 때 점점 달라져요. 거기에 감독님의 디렉션을 들었을 때 또 달라지기도 하고요. 그래서 연기는 계속 습득하고 배우는 일이라는 생각이 들어요. 〈여배우는 오늘도〉에서 제가 어떻게 하면 연기를 잘할 수 있냐고 묻잖아요.

그때 문소리 선배님이, 나도 몰라 계속하는 거지, 라고 답하는데 사실 가장 솔직한 말일 거예요. 왜냐하면 정말로 답이라는 게 정해져 있지 않으니까요. 촬영 중엔 집에 돌아가서 그날 느꼈던 것을 그냥 단순한 말로 메모를 하거든요. 그런데 너무 신기하게도 분명 매일 다른 상황이었는데 어떤 중첩된 단어로 설명이 될 때가 있어요. 그런 것들이 정리되면서 결국엔 차곡차곡 쌓여요. 그리고 그 작품을 마치면 마음에 뭔가 가득 차요. 한동안은 내 안에 들어간 그 배움을 충분히 곱씹는 시간을 갖고 싶을 만큼. 그래서 늘 작품이 하나 끝나면 빨리 휘발시키지 않고 잘 정리하고 잘 쌓아주고 싶어져요.

전여빈이라는 열매

작품을 선택할 때 오래 고민하는 편인가요?

비교적 빨리, 직감적으로 결정하는 것 같아요. 하고 싶은 마음이 먼저 들어야지 작업하는 동안 재밌게 할 수 있으니까요. 진짜 '재밌게' 그리고 '잘' 하고 싶어서 선택한 직업이니까 그런 마음이 둘 다 들게 하는 글을 읽거나 사람을 만나면 그냥 그 마음을 믿고 가게 되더라고요. 〈낙원의 밤〉의 경우 마지막 엔딩 장면이 머릿속에 제일 강력하게 박혔죠. 기타노 다케시가 떠올랐어요.

기타노 다케시 세대는 아닐 텐데요?

왕가위 영화를 비롯해서 기타노 다케시의 영화는 공부하는 마음으로 찾아봤던 게 많아요. 그리고 함께 출연하게 된 엄태구 배우도 또 하나의 이유였죠. 태구 오빠는 워낙 열심히 하기로 유명했고, 〈밀정〉 촬영장에서 잠깐 만난 적은 있지만 같이

제대로 작품을 해보고 싶었어요. 〈낙원의 밤〉이 촬영에 들어갈 당시엔 넷플릭스 방영이 결정된 게 아니었으니까, 큰 규모는 아니지만 좋은 사람들과 똘똘 뭉쳐서 잘해볼 수 있지 않을까 싶었죠.

재연의 귀에는 늘 이어폰이 있어요. 마지막 바닷가 앞에서도 마찬가지죠. 그때 무슨 노래를 들었을까요.

평상시에는 오래된 노래 있잖아요. 김추자 씨 노래라든가, 뭔가 요즘 친구들은 잘 듣지 않는 노래를 들을 것 같았어요. 얘는 또래랑 학교생활을 같이 한 애가 아니잖아요. 그래서 그냥 엄마 아버지가 들었을 법한, 어렸을 때 기억이 담겨 있는 노래를 듣지 않을까 생각했어요. 하지만 마지막의 순간에는 아무것도 플레이하지 않았어요. 한참을 고민했는데 재연이라면 그냥 아무 음악도 들을 것 같지가 않더라고요. 참 신기한 게요. 촬영을 해나가면서, 마음이 익어가요. 마치 내가 열매가

된 것처럼 익어가요. 그냥, 그 속에서 자연스럽게 이 친구의 선택을 알게 되는 것 같아요.

그렇게 익어가는 과정에서 배우가 스스로의 멘털을 건강하게 유지시키고 회복시키는 과정은 정말 중요하다는 생각을 해요. 특히 〈죄 많은 소녀〉나 〈낙원의 밤〉처럼 극단적인 마음과 행동이 요구되는 작품을 할 때 일상은 어떻게 꾸려나가나요?

어두운 역할이라고 해서 개인 생활 자체를 우울한 채로 지내지는 않아요. 기본적으로 작품 속 무드는 익히고 있지만, 바깥 생활에서도 계속 그렇게 다운되어 있으면 촬영장에 갔을 때는 에너지가 이미 많이 고갈되어 있어요. 그러면 정작 뭔가를 보여줘야 되는 순간에 끌어올릴 힘이 없고요. 〈낙원의 밤〉의 재연이는 뜨거움이 발화되기보다는 오히려 차가운 느낌이 더 컸으니까 너무 들뜨지도 너무 가라앉지도 않게 평상심을 유지하려고 했었어요. 너무 늦게

자지 않고 일찍 일어나고, 정해진 시간에 아침을 먹고, 산책을 하는 식으로 진짜 평범하게 하루의 루틴을 만들어 놓았죠. 하지만 의도하지 않아도 한 친구를 계속 마음에 담다 보면 나라는 사람과 극적으로 분리가 되지는 않는 것 같아요. 어느덧 노력을 딱히 하지 않아도 이 인물이 저에게서 계속 묻어 나와요. 결국엔 오히려 덜어 내려고 노력해요. 캐릭터에 너무 젖어 든 나머지 무뎌져서 놓치고 가거나 못 찾는 것들이 생기거든요. 너무 당연해서 질문하지 않는 연기가 될 때도 많아요. 물론 모든 믿음을 내걸고 하는 것도 좋지만, 돌이켜보면 그래도 더 많이 질문해볼 걸 하는 생각이 들기도 하거든요.

〈낙원의 밤〉에서도 그런 부분들이 있었어요?

그럼요. 하지만 만약에 돌아간다 해도 새로운 답안지를 쓸 수 있을지는 모르겠어요. 오히려 그런 설계들이 연기를 더 난잡하게 해서

먹칠이 될 것 같기도 하거든요. 그림을 그릴 때도 자꾸 덧칠하면 종이가 찢어지잖아요. 그래서 연기란 하면 할수록 생각이 많아지는 것 같아요. 예전에 우희 언니한테도 물어봤었어요. 언니는 연기할 때 자기가 좋다고 생각했던 신들이 대체로 다 좋은 편이야? 아니면 이건 좀 아닌 것 같은데, 라고 했는데 결과적으로 잘 나온 것도 있어? 언니는 "그럴 때도 있고 아닐 때도 있지. 그런데 여빈아, 네가 맞다고 생각한 방식으로 연기했을 때 그 결과가 잘 나오는 게 베스트이지 않을까?"라고 말을 하셨어요. 그래서 요즘은 어떻게 하면 완성된 결과물과 애초에 내가 그린 그림의 간극을 좁혀나갈 수 있을지를 고민하고 있어요. 디테일이 섬세하면서도 지저분해지지 않는 선을 그려가고 싶어요. 그림을 배울 때도 처음엔 선이 엄청 거칠고 많지만 잘 그리는 친구일수록 선이 점점 가벼워지고 터치가 적어지더라고요. 대신에 표현은 훨씬 더 세밀해지고. 연기도 비슷하다는 생각이 많이 들어요. 또 결과적으로 세공을 하는 감독님들과의 소통의 중요성을 느껴요. 나라는 배우가 어떤 재료로 쓰이길 원하는지, 나는 어떻게 이 재료를 마음껏 쓰고 싶은지에 대해서도 정말 끝까지 놓지 말고 고민하고 이야기를 해야겠다, 고요. 다른 이들의 방식을 매뉴얼처럼 따르는 게 아니고 나에게 좀 더 창조적으로 적용시킬 수 있는 방식과 능력을 계속 가다듬어가고 싶어요. 그러려면 보는 것도 많아져야 되는 것 같고, 남들은 어떻게 하는지도 살펴보고, 관찰도 많이 하고요. 그 모든 것이 결국에는 다 재료가 되는 것 같아요.

〈빈센조〉를 기점으로 대중적인 인지도와 인기뿐 아니라 기대치 혹은 배우로서 선택의 폭이 확실히 넓어진 느낌입니다.

이 직업이 너무 좋은 게 그냥 전여빈으로 있을 때는 최대한 평범하고 편안한 것들을 고르거든요. 그런데 배우 전여빈으로서는 다 다르게 가보고 싶어요. 시간이 지나고 접하는 것들이 많아질수록 편한 것은 있지만, 그 익숙한 것을 버리고 다르게 시도해보고 싶은 욕구들이 되게 커지기도 해요. 다 깨 버리고 싶을 때도 있고, 타인의 기대에 너무 응하려 하지 않아도 되겠다는 생각도 하고 있어요. 그 기대에 부응하려다가 오히려 굳어질 수도 있으니까요. 고맙게도 과거에 비해서는 선택할 수 있는 경우의 수가 많아졌으니까 계속 용기를 내서 조금 더 자유롭게, 좀 더 다른 걸음으로 걸어가 보고 싶어요. 제가 아직 여행을 많이 못 해보긴 했지만, 여행을 하는 사람들의 마음이 이런 걸까, 싶기도 해요. 그곳이 어떤 곳인지 아직은 모르지만 일단 너무 궁금하니까 꼭 가보고 싶다는 마음, 이랄까.

대만의 인기 드라마였던 〈상견니〉의 한국 리메이크 작인 〈너의 시간 속으로〉의 촬영이 막 시작되었어요. 기존 드라마의 팬덤에 대한 부담은 없나요?

부담보다는, 배우라면 욕심 낼 수밖에 없는 캐릭터라 선택한 작품이었어요. 원작이 너무 훌륭해서, 꼭 리메이크에 참여하고 싶었던 마음도 컸고요. 컬러링북이라고 아세요? 색칠공부놀이... 뼈대는 그려져 있고 색만 채우면 되는. 그게 또 사람마다 가지고 있는 감성이 달라서 다른 그림이 되기도 하더라구요. 우리가 만들어가는 〈너의 시간 속으로〉가 어떤 그림으로 그려질지 기대하는 마음이 커요. 저도 〈상견니〉의 팬 중 한 명이라 원작을 아끼는 마음을 충분히 공감하거든요. 팬덤에 대한 좋은 책임감으로 끝까지 정성을 다해서 그림을 그릴게요, 꼭!

그 외에도 촬영을 마친 넷플릭스의 〈글리치〉에 대한 기다림, 김지운 감독 송강호 배우와 함께하는 영화 〈거미집〉에 대한 기대도 큽니다.

〈글리치〉는 조금 새롭고 독특한 시리즈가 아닐까 하는 기대가 있어요. 저로서도 색다르게 다가왔던 홍지효라는 인물을 만나 예기치 못할 모험을 아주 잘

다녀왔거든요. 시청자분들은 어떻게 느껴주실지도 궁금해요. 〈거미집〉은 김지운 감독님, 송강호 선배님을 향한 존경심이 있어서, 함께 정말 잘 연기해보고 싶은 욕심이 크거든요. 요즘 한창 촬영 중인데 촬영이 없을 때도 얼른 현장에 가고 싶고, 보고 싶고 그렇더라고요. 여기서 만나게 된 인물인 신미도를 비롯해 이 영화의 인물들이 모두 꽤 희한하게 사랑스럽습니다! 많은 기대, 관심, 사랑, 부탁드립니다. 하하.

10년 후의 배우 전여빈, 사람 전여빈은 어떤 모습이길 바라나요.

잘 나이 들고, 좀 더 멋있고, 유머러스한 어른이고 싶어요. 훨훨 자유롭게 유영하는 유연한 배우이길 바랍니다. 땅 속의 뿌리는 깊게, 하늘 위의 가지는 자유롭게 흐드러지고, 알차게 결실을 맺는 배우이길.

그 때면 '넥스트 액터' 시리즈도 열네 번째 인터뷰를 하고 있을 것 같은데요. 미래의 넥스트 액터에게 해주고 싶은 말이 있나요?

안녕하세요? 넥스트 액터님! 지금 아마도 참 설레고 행복한 시기일 것 같아요. 저는 이 프로젝트를 제안 받고 참 가슴 떨려 하며 행복했고, 은하 소장님과 무주팀과 시작부터 하나하나 돌이켜보는 시간을 거치면서 더 행복하게 굳건해지고 단단해지는 기분이 들었거든요. 또다시 나아갈 영양분을 잔뜩 머금게 됐다고 할까요? 당신께도 그런 기억이 되기를 기도하고 또 확신합니다. 앞으로 다가올 멋진 날들을 축복합니다. 함께 좋은 배우가 될게요. 반갑습니다!

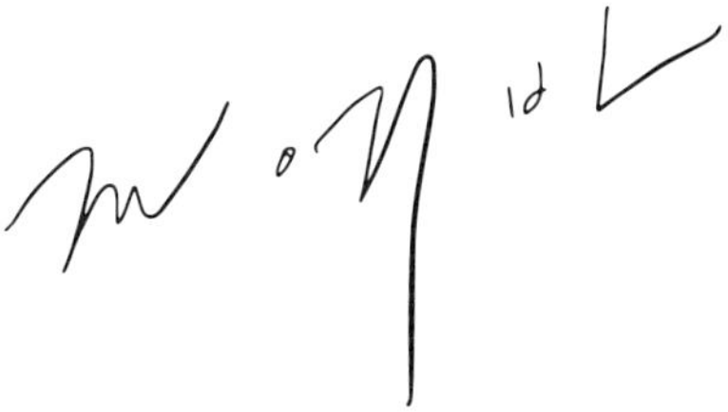

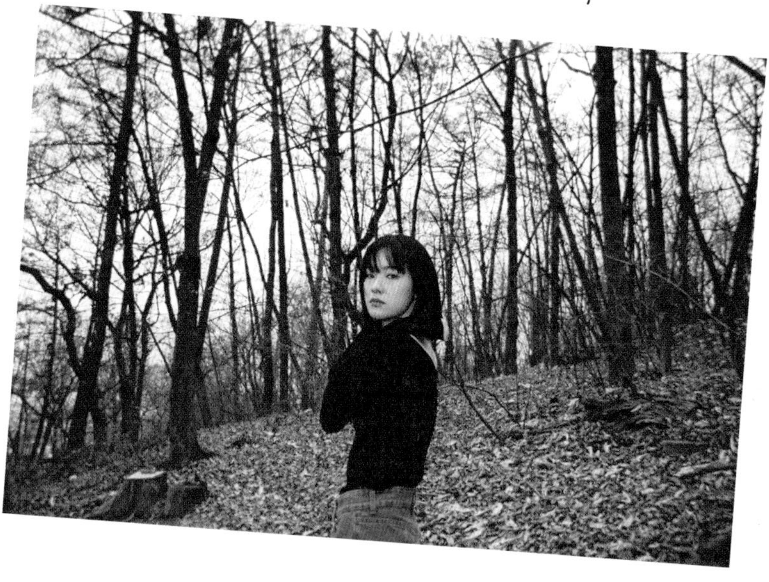

WHO'S
THE NEXT?

안녕하세요. 전여빈 입니다. ⌣

산과 바람, 봄과여름 사이
우리는 지금 무주산골영화제 ―

넥스트 액터 NEXT ACTOR
전여빈

초판 1쇄 2022년 6월 1일

기획   무주산골영화제 × 백은하 배우연구소
글   백은하, 전여빈
편집   백은하
디자인   김나해
표지 레이아웃 옥근남
교정 교열   김정희
인쇄   다다프린팅

펴낸 곳   백은하 배우연구소
출판등록   2019년 2월 21일 (제2019-000023호)
주소   서울특별시 종로구 자하문로38길 12 2층 (03020)
전화   02-379-2260
홈페이지   www.unalabo.com
이메일   unalabo@icloud.com
인스타그램   @una_labo

ISBN 979-11-966960-8-5 (04680)
ISBN 979-11-966960-0-9 (세트)

값 18,000원